Berezina

COLLECTION
DÉMARCHES

Sylvain Tesson

Berezina

éditions Guérin
CHAMONIX

à ma mère,
Marie-Claude Tesson-Millet †

« Cependant, tout ce qui respirait
se mit en marche »

Sergent Bourgogne, *Mémoires*

« Extrémités de l'aboulie !
Pour y échapper, je lis de temps en temps
quelque livre sur Napoléon. Le courage des
autres nous sert quelquefois de tonique »

Cioran, *Cahiers*, 17 janvier 1958

« Je lis les souvenirs du capitaine Coignet
où quatre Français triomphent toujours de
dix mille Cosaques. Les temps ont changé »

Paul Morand, *Journal inutile*, tome II

« C'est bien de se battre à hauts-cris –
Mais qu'il est plus brave, je sais
Celui qui charge en son cœur
La cavalerie du Malheur

. . .

C'est pour lui dans leur cortège d'ailes
Que les anges viennent
– En longues files d'un pas tranquille –
Dans leurs uniformes de neige »

Emily Dickinson, *Escarmouches*

BEREZINA [berezina] **n. f.** ; riv. de Biélorussie, affl. du Dniepr ; 613 km – Fut le théâtre de l'une des batailles opposant Napoléon aux troupes du Tsar en 1812, lors de la fameuse Retraite de Russie. – FAM. *(C'est) la bérézina,* expression désignant une situation cataclysmique. *« Ben, que t'arrive-t-il, Gros ? T'as l'air en pleine bérézina ? »* SAN-ANTONIO.

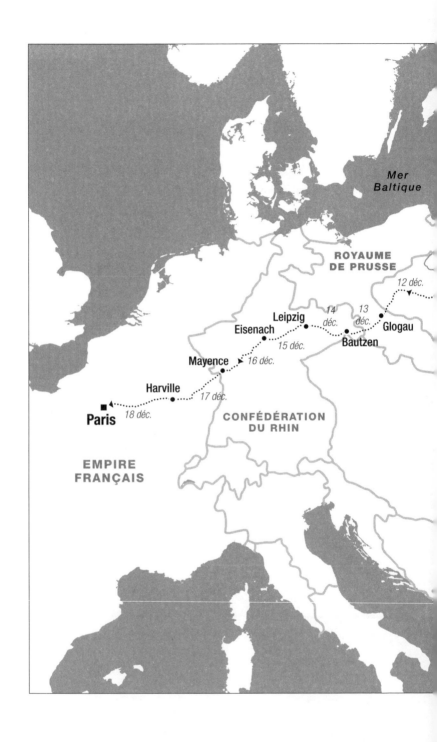

Königsberg

Niémen

Dvina

Kovno
24 juin
13 déc.

Vilna
7 déc.
9-8 déc.
5-6 déc.

Smorgoni

Augustowo

Vistule

10 déc.

Kutno *11 déc.*

Varsovie

GRAND-DUCHÉ
DE VARSOVIE

Vitebsk
28 juil.

Passage de
la Berezina
25-29 nov.

Berezina

Dniepr

Borodino
La Moskova
7 sept.

Moscou
14 sept.-
19 oct.

Oka

Smolensk
17 août
14 nov.

Maloiaroslavets
24 oct.

Volga

EMPIRE
DE RUSSIE

Campagne de Russie (1812)

→ Itinéraire de la Grande Armée

----→ Itinéraire de la Retraite de Russie

·······→ Retour de Napoléon

✰ Bataille   250 km

RUSSIE

LITHUANIE

Moscou

Borodino
Wiazma
4 déc.
3 déc.
5 déc.
Smolensk

Vilnius
7 déc.
6 déc.

Augustów
8 déc.
Borissov

Minsk

9 déc.

BIÉLORUSSIE

Varsovie

POLOGNE

Voyage de Sylvain Tesson (2012)

Itinéraire en side-car

250 km

Juillet, Terre de Baffin.
Six mois avant le départ.

L ES IDÉES DE VOYAGE jaillissent au cours d'un précédent périple. L'imagination transporte le voyageur loin du guêpier où il s'est empêtré. Dans le désert du Néguev, on rêvera aux *glen* écossais ; sous la mousson, au Hoggar ; dans la face ouest des Drus, d'un week-end en Toscane. L'homme n'est jamais content de son sort, il aspire à autre chose, cultive l'esprit de contradiction, se propulse hors de l'instant. L'insatisfaction est le moteur de ses actes. « Qu'est-ce que je fais là ? » est un titre de livre et la seule question qui vaille.

Cet été-là, nous frôlions chaque jour des icebergs plaintifs. Ils passaient tristes et seuls, surgissant du brouillard, glaçons dans le whisky du soir. Notre voilier, *La Poule*, voguait de fjord en fjord. La lumière de l'été, brouillée par la vapeur, allaitait jour et nuit les côtes de Baffin. Parfois, nous accostions au pied d'une paroi de six cents mètres plantée dans l'eau. Alors, déroulant nos cordes, nous nous lancions dans des escalades. Le granit était compact, il fallait pitonner ferme. Pour cela, nous avions Daniel Du Lac, le plus vaillant d'entre nous.

Il était à l'aise pendu au-dessus de l'eau — davantage que sur le pont du bateau. En ouvrant la voie, il délogeait des blocs. Les rochers nous fusaient dans le dos et claquaient l'eau avec un bruit d'uppercut dans une mâchoire coupable.

Cédric Gras suivait, soulevé par cette vertu : l'indifférence. Moi, je redoutais de redescendre. À bord du bateau, l'atmosphère n'était pas gaie. Dans le carré, chacun lapait sa soupe en silence. Le capitaine nous parlait comme à des chiens et nous prenait, le soir, pour son auditoire. Il fallait subir ses hauts faits, l'entendre dérouler ses vues sur cette science dont il s'était fait le spécialiste : le naufrage. Il y a comme cela des napoléons du minuscule ; en général, ils finissent sur les bateaux, le seul endroit où ils peuvent régner sur des empires. Le sien mesurait dix-huit mètres.

Un soir, avec Gras, nous nous retrouvâmes sur le pont avant. Des baleines soupiraient à la proue du bateau, nageaient mollement, roulaient sur le côté : la vie des gros.

« Il faut renouer avec un vrai voyage, mon vieux. J'en ai marre de cette croisière de Mormons, dis-je.

— Un vrai voyage, c'est quoi ? dit-il.

— Une folie qui nous obsède, dis-je, nous emporte dans le mythe ; une dérive, un délire quoi, traversé d'Histoire, de géographie, irrigué de vodka, une glissade à la Kerouac, un truc qui nous laissera pantelants, le soir, en larmes sur le bord d'un fossé. Dans la fièvre…

« — Ah ? fit-il.

— Oui. Cette année, en décembre, toi et moi, nous devons aller au Salon du livre de Moscou. Pourquoi ne pas revenir à Paris en side-car ? À bord d'une belle Oural de fabrication russe. Toi, tu seras au chaud dans le panier, tu pourras lire toute la journée. Moi, je piloterai. On part de la place Rouge, on enquille plein ouest vers Smolensk, Minsk et Varsovie. Et tu sais quoi ?

— Non, dit-il.

— Cette année ce sont les deux cents ans de la Retraite de Russie, dis-je.

— Pas possible ?

— Pourquoi ne pas faire offrande de ces quatre mille kilomètres aux soldats de Napoléon ? À leurs fantômes. À leur sacrifice. En France, tout le monde se fout des Grognards. Ils sont tous occupés avec le calendrier maya. Ils parlent de la "fin du monde" sans voir que le monde est déjà mort.

— Pas faux, dit Gras.

— C'est à nous de saluer la Grande Armée, dis-je. Il y a deux siècles, des mecs rêvaient d'autre chose que du haut débit. Ils étaient prêts à mourir pour voir scintiller les bulbes de Moscou.

— Mais ça a été une effroyable boucherie ! dit-il.

— Et après ? Ce sera un voyage de mémoire. On frôlera aussi quelques catastrophes, je te le promets.

— Alors d'accord. »

Il s'écoula un moment. Priscilla nous rejoignit à la proue. Elle était de tous nos voyages. Avec ses boîtiers photos, ses huiles essentielles et ses gestes de yogi. On la mit au courant du projet. Un soleil cyanosé rôdait à l'horizon. La mer était d'acier. La queue d'un grand rorqual barattait ce mercure. Soudain, Priscilla :

« Pourquoi répéter la Retraite exactement ?

À bâbord, une baleine expira une fleur de vapeur. Le nuage resta en suspens dans la clarté.

— Pour le panache, chérie, pour le panache. »

Quelques jours avant le départ.
Moscou, novembre.

L E SALON DU LIVRE DE MOSCOU était un succès. Pourquoi les organisateurs avaient-ils appelé *débat-table ronde* cette réunion de gens tous d'accord entre eux autour d'une table carrée ? J'étais assis près de Maylis de Kerangal et très intimidé par la beauté de l'auteur de *Tangente vers l'est*. Elle disait son amour pour la Russie avec nuance. Elle arrachait tout ce que j'aurais voulu exprimer. Elle portait les yeux très écartés, marque des gens supérieurs. Elle parlait de son voyage sur le Transsibérien. J'aurais voulu être dans le train avec elle, lui servir le thé, porter ses sacs, lui lire Boris Godounov le soir, pour l'endormir.

Gras et moi tentions de convaincre notre public de la nécessité de répéter l'itinéraire de la Retraite de Russie. Pétrifiés par Maylis, pas sûrs de notre fait, nous nous défaussions l'un sur l'autre. Nous devions avoir l'air de Bouvard et Pécuchet.

« Napoléon fut peut-être un monstre sanguinaire…, commencé-je.

— … mais reconnaissons que notre administration, notre cadastre, notre droit…, poursuivit Gras.

— … lui doivent tout, assené-je.

— En France, il n'y a pas une journée où nous ne nous mouvions dans le cadre des régulations jaillies de son cerveau, dit Gras.

— Était-ce un fou ? dis-je. Un génie ? Un prophète insulaire à qui le spectacle des divisions claniques de la Corse avait insufflé des envies d'unité…

— … et même de fusion entre l'Orient et l'Occident ? dit Gras.

— Ce n'est d'ailleurs pas la question de notre équipée…

— … non, ce que nous voulons, continua Gras.

— … c'est saluer la mémoire de centaines de milliers de malheureux soldats, victimes d'avoir suivi leur chef, d'avoir cru qu'un peuple, dis-je.

— … pouvait écrire un roman collectif avec le sang de chacun…

— … et toucher du doigt la gloire…

— … et se fondre à l'âme de Napoléon, comme disait Léon Bloy.

— Nous roulerons à moto pour le souvenir de ces hommes, dis-je.

— Nous ne célébrerons rien, dit Gras.

— Nous nous contenterons de répéter l'itinéraire de la Retraite.

— En mesurant au plus profond de nous…

— … la charge de malheur…

— … la somme de souffrance…

— … ce que coûte en chagrin un songe de grandeur.

— … et ce qu'il faut de larmes pour réformer le monde.

— Pourquoi ces hommes acceptèrent-ils de participer aux noces de l'honneur, de la folie et de la mort ? conclut Gras.

— Après tout, ils sont proches de nous. Deux cents ans, ce n'est rien ! » dis-je.

La conférence se termina. Maylis s'enfuit. Nous rejoignîmes notre hôte, une diplomate du *réseau*, responsable des activités littéraires de l'ambassade de France.

Notre intervention nous avait échauffés. Nous nous approchâmes d'elle.

« Croyez-vous que notre discours a fait frissonner les Russes ? dis-je.

— Ils aiment Napoléon, n'est-ce pas ? Seront-ils sensibles à notre voyage ? dit Gras.

La représentante du rayonnement de la langue française répondit :

— Vous vous êtes bien enregistrés à votre hôtel ? »

On s'habitue bien vite à porter un bicorne. C'était la fin novembre. Nous étions quinze à table à Moscou ce soir-là, après la conférence au Salon du livre. Quinze amis, dans l'appartement de la rue Petrovka, sous les portraits de Lénine et de Beria. Les chandeliers portaient des bougies slaves : elles fondaient à toute vitesse, en sanglots translucides. On parlait russe comme chez les

Européens bien élevés. Il y avait là des Français, des Slaves, un Allemand, un Balte, deux ou trois Ukrainiens : tous invités par notre ami Jacques von Polier, asthmatique, grand seigneur, russophile et *businessman*. J'avais sur la tête une réplique du couvre-chef impérial, celle qu'on trouve dans les asiles de fous et que j'avais décidé de ne plus quitter pendant notre campagne. J'ai toujours cru aux vertus de la coiffe. Dans les temps antiques, le chapeau faisait l'Homme. Il en va encore ainsi dans l'Orient : ce que vous portez sur la tête vous identifie. L'un des symptômes de la modernité était de nous avoir fait aller dans la rue tête nue. Grâce au bicorne, une mystérieuse percolation alchimique allait peut-être infuser en moi un peu du génie de l'Empereur…

Le bicorne que je portais était la réplique de celui du petit Corse. Ce chapeau cocardé avait coiffé une énigme plus qu'un homme. L'Empereur était né sur une île de granit, plantée de châtaigniers, sans savoir qu'il portait en lui une énergie monstrueuse. Comment devient-on ce que l'on est ? C'était la question que le destin de Napoléon nous posait. Quels mystérieux enchaînements conduisirent l'obscur officier jusqu'au sacre de Notre-Dame de Paris, en 1804 ? Quelles forces mantiques le propulsèrent au commandement d'un demi-million de guerriers, redoutés par l'Europe entière ? Quelle étoile le mena au triomphe ? Quel génie lui inspira ses techniques de dieu grec : la foudre, l'audace, le *kairos*.

Il avait persuadé ses hommes que rien ne résisterait à leur marche glorieuse. Il leur avait offert les Pyramides en 1798, la Rhénanie en 1805, les portes de Madrid en 1808, les plaines de Hollande en 1810. Il avait mis à genoux l'Angleterre en 1802, à Amiens et contraint le tsar de toutes les Russies à ronronner gentiment, à Tilsit en 1807. Il avait régenté l'administration, réformé l'État, bouleversé les vieux modèles de civilisation, bâti une légende aux accents macédoniens.

Et, soudain, le rêve allait s'écrouler à cause d'une marche à la mort dans les steppes de Russie. L'année 1812 fut un tourbillon d'ombres dont le premier chapitre allait se jouer sur les bords du Niémen et s'achever trois ans plus tard entre les murs mangés de salpêtre de Sainte-Hélène.

Donc, nous buvions les vins de von Polier. On descendait du cabernet de Crimée, on mangeait des harengs à l'aneth, du boudin aux airelles, des cornichons sucrés. Il y avait des carafons remplis de cet élixir de l'oubli — c'est-à-dire du pardon — et de la joie mauvaise : la vodka biélorusse, cristalline comme l'eau de Savoie. Notre hôte s'était installé à Moscou vingt ans auparavant, lassé de la France, de ses régulations, des charcutiers poujadistes, des socialistes sans gêne, des géraniums en pot et des ronds-points ruraux. La France, petit paradis peuplé de gens qui se pensent en enfer, administré par des pères-la-vertu occupés à brider les habitants du parc humain, ne convenait plus à son besoin de liberté.

Il avait eu envie d'aventure, de réel. Il préférait négocier avec des *businessmen* à têtes de brutes plutôt qu'avec des barracudas d'HEC qui n'avaient jamais l'idée de lui proposer une cuite au sauna après la négociation du contrat. Jacques se sentait plus proche d'un pêcheur du lac Lagoda que d'un type lui déroulant un « prévisionnel ». Et, justement, en France, chacun lui paraissait préoccupé de son propre bilan. Depuis, il traînait dans les recoins de l'ex-URSS sa haute stature, ses gestes généreux et deux yeux noirs et fous avides de tomber sur une occasion de ne pas dormir.

En 2008, il avait racheté l'usine d'horlogerie Raketa, fondée au XVIIe siècle par le tsar Pierre le Grand et annexée par les Soviétiques dans l'objectif de graver la légende de l'URSS. À chaque événement, le Politburo ordonnait l'édition d'une montre. Il existait des modèles à la gloire des sous-mariniers, des Jeux olympiques de 1980, du premier vol spatial de Gagarine, des expéditions polaires. L'usine était tombée en déshérence en 1991, à la chute de l'Union. Les mauvaises affaires excitaient l'esprit de Jacques, les causes perdues lui emportaient l'âme. Des six millions de montres produites en 1990, l'usine n'en fabriquait plus qu'un pauvre millier au seuil des années 2000. Les employés, subissant des arriérés de salaires de six mois, se réduisaient à cinquante oubliés là où ils pointaient par milliers sous Gorbatchev.

Et Jacques, lui, s'échinait à faire renaître la marque. Il y mettait toute son énergie, tout son cœur. Les Russes, d'abord goguenards, avaient fini par considérer avec admiration ce Parisien qui ne voulait pas laisser mourir la seule usine de précision de ce pays d'approximation et qui bataillait pour que le pouls des Raketa batte encore au poignet des Moujiks.

Gras et moi, nous étions fiers comme des tractoristes de la brigade agricole numéro 12 décorés de la médaille du travail : Jacques venait de nous faire cadeau de deux montres frappées de l'aigle napoléonien, éditées par ses soins pour le bicentenaire de la campagne de 1812. Au revers étaient représentés les profils de Napoléon et de Koutouzov, face à face, sur le champ de bataille de Borodino. Avec une montre pareille, on pouvait foncer dans l'hiver et dans la nuit sans rien craindre. Sauf les retards, parce que les mécanismes n'étaient pas encore automatisés et que nous autres, enfants de l'Ouest, avions perdu l'habitude de remonter les montres.

À table, il y avait Thomas Goisque, l'ami de dix ans, photographe devenu russophile plus tardivement que nous, mais avec la même ardeur. Il venait de nous rejoindre. Son atterrissage à l'aéroport de Cheremetievo, à quarante kilomètres du centre-ville de Moscou, l'avait démoralisé. Par le hublot, il avait découvert le vrai visage de l'hiver russe : un paysage dépressif. Les couleurs avaient déserté le monde. La forêt avait l'air abattue. Le ciel était une défaite, la neige avait la couleur du ciment. Partout, la boue.

« Les gars, on ne pourra jamais rouler là-dedans, on va se noyer, nous avait-il dit en se mettant à table. Et moi, quelles photos vais-je faire ? »

On lui donna une montre, il but un carafon et la perspective des difficultés s'aplanit en son for. La vodka est autrement plus efficace que l'espérance. Et tellement moins vulgaire. Ce fut l'heure des toasts. Chacun se levait à tour de rôle, brandissait son verre, disait quelque chose, déclenchait les protestations ou l'enthousiasme des convives. En Russie, l'art du toast a permis de s'épargner la psychanalyse. Quand on peut vider son sac en public, on n'a pas besoin de consulter un freudien mutique, allongé sur un divan.

« À votre Retraite de Russie ! Il fait – 15 °C à Minsk, je n'arrive pas à savoir si je vous envie ou pas, dit Jacques.

— Au roi prolétaire ! dis-je.

— Au vilain Corse, hurla un ami moscovite, c'est grâce à lui que le peuple russe s'est senti patriote pour la première fois !

— À l'antéchrist Bonaparte, renchérit son amie, il nous a rendus russes ! Il nous a fait devenir ce que nous sommes !

— Aux Cosaques », souffla l'énorme F. aux pognes falstaffiennes.

Il était né dans les labours picards mais, poussé par les mêmes dégoûts que von Polier, il s'était exilé sur les rives du Don. Il ajouta : « Aux Cosaques de mon cœur, à leurs hourras magnifiques ! À leur campagne de 1814 et à mon petit enfant qui est dans le ciel ! »

Et sur sa grosse joue rose roula une larme, car un chauffard avait tué son fils de 6 ans, quelques années auparavant, et F. portait le visage du pauvre enfant tatoué sur son avant-bras gauche et il le regarda avec une intensité douloureuse et l'image du petit être sur la peau sembla s'animer, peut-être parce qu'un muscle tressaillit ou peut-être parce qu'il y eut quelque magie. Et nous, nous regardâmes en silence ce père orphelin se jeter les cinquante grammes de poison dans le fond de la gorge[1].

Une amie très brune, dont les lèvres bleuissaient au contact du merlot moldave, avait convié le fondateur d'un réseau de contestation antipoutinien. Il se nommait Ilya. La peau très blanche, il avait l'air d'un neveu de famille habitué aux chasses en Sologne et non du type qui va faire sauter le Kremlin. Il faut se méfier de la physionomie des anarchistes russes. Ils ressemblent à des communiants, mais quelque chose — une lueur raspoutinienne au fond de l'œil, un front trop fuyant, barré de mèches fiévreuses — trahit l'agitation mentale et le passage à l'acte. Regardez la photo de Savinkov, l'auteur du *Cheval blême* : il ne doit pas faire bon vivre sous ce crâne démesuré. On y pressent des blizzards. Kropotkine, prince anarchiste dans le genre débonnaire,

---

1. En Russie, on compte en grammes l'alcool que l'on boit. Un petit verre : 50 grammes. Un gros verre : 100 grammes. Une matinée bousillée : 500 grammes.

ne vaut pas mieux : une allure de papa Noël, une trogne de fabricant de pain d'épices et la soif, pourtant, de dynamiter le monde.

En cette année 2012, de jeunes Moscovites éduqués avaient semé le désordre dans le centre de la capitale. L'Occident, trop heureux de déstabiliser Vladimir Vladimirovitch Poutine, avait relayé leurs revendications, assuré de son soutien ces jeunes bourgeois connectés, rompus aux outils de communication. Une révolution, depuis l'explosion d'Internet, requérait les techniques du marketing. L'essentiel n'était plus d'envahir l'administration, de retourner l'armée et de pendre le gouverneur à un croc de boucher : il suffisait de tenir le terrain médiatique, de produire du discours, d'alimenter les blogs et de préparer des estrades pour les discoureurs occidentaux, les harangueurs appointés dont on décrochait la venue si la cause s'avérait *bankable* au marché des idéaux de l'UE. Il fallait une unité de lieu (une grand-place urbaine frapperait les esprits), une équipe de *twitteurs*, une cause sympa, des signes de ralliement, des tee-shirts, une couleur symbolique et des slogans très forts. Vous vouliez changer de monde ? Il fallait assurer le spectacle !

Ilya était un pro de ces printemps urbains. Nous découvrîmes un garçon affable, aux poignets fins, avec un gros cerveau plein d'idées libérales. Je ne sais ce qu'il pensa de notre tablée jonchée de bouteilles, de convives écroulés, de types en sabretaches, brandissant sabres d'époque, arborant croix orthodoxes et insignes de régiments tatoués sur les biceps, vidant force tokay, braillant les airs martiaux du Premier Empire et les hymnes de l'Armée rouge, convoquant le souvenir du sergent Bourgogne, portant des toasts au prince Murat et poussant les hourras des Cosaques de Platov.

F. s'était mis à chanter un chant parachutiste. Ilya sentit bien qu'il n'y aurait là rien à poster sur YouTube. Il partit.

Le lendemain, à 8 heures, nous étions dans un garage derrière la gare de Iaroslav. Il faisait sombre, l'air puait le goudron froid. Moscou rugissait déjà comme une monstrueuse machine à laver les âmes. La boue poissait les rues, le ciel, le moral. Les automobilistes se ruaient vers les embouteillages. Des congères flanquaient les trottoirs. Il y avait certainement des cadavres d'ivrognes sous la neige. Au printemps, ils réapparaîtraient. En Russie, on les appelait « les perce-neige », ils annonçaient les beaux jours avec autant de fiabilité que les oiseaux migrateurs. Nous avions eu du mal à atteindre l'endroit.

En allumant le plafonnier d'un box, nous le découvrîmes, vert kaki, prêt à nous projeter dans un fossé biélorusse : notre side-car. Pour désigner cet engin, l'expression « motocyclette à panier adjacent » est plus esthétique. Ces machines sont des fleurons de l'industrie soviétique. Elles promettent l'aventure. On ne sait jamais si elles démarreront et, une fois lancées, personne ne sait si elles s'arrêteront. Les Soviétiques les construisirent dans les années 1930 sur le modèle des BMW de l'armée allemande. Dès lors, elles allaient couvrir le territoire de l'Union. La vision d'une Oural pilotée par Oleg, Moujik à casquette, chargée d'enfants à l'arrière avec, dans le panier, une paysanne à fichu rouge – Tatiana, ou Léna – et un bidon de lait accroché à la roue de secours est un archétype jungien de la ruralité russe. Aujourd'hui encore, pas un village où l'on n'en trouve trois ou quatre modèles, rouillant dans les ombellifères. L'usine Oural continue à vomir ces machines, à l'identique. Elles seules résistent à la modernité. Elles plafonnent à 80 km/heure. Elles vont, par les campagnes, dépourvues d'électronique. N'importe qui peut les réparer avec une pince en métal. Elles sont d'un temps où l'Homme n'était pas l'esclave de l'électronique, où la sidérurgie régnait dans sa simplicité. Pour les conduire, il faut de l'habitude, ne pas tourner trop vite à droite sous peine de soulever le panier, corriger en permanence le déport vers la gauche. Il faut aussi être doté d'une vie intérieure car l'Oural est lente et la Russie sans fin. Depuis vingt ans, poussé par un mélange de fascination et de masochisme, j'achetais ces machines. En fait, j'aurais aimé mourir à bord.

Une année, j'en acheminai une de Kiev, par la Pologne du Sud. Nous tombâmes en panne près de Frankfurt et remorquâmes la moto avec la corde dont un boucher se servait pour suspendre ses carcasses dans la chambre froide. Les Allemands nous toisaient. La chute du Mur avait réveillé le mépris du Slave chez le Teuton réunifié. En Ouzbékistan, je traversais le désert du Kyzylkoum à bord d'un engin de 1966. La nuit, il fallait rouler le klaxon enfoncé pour maintenir les phares allumés par effet de court-circuit. À Khiva, j'eus un accident avec une voiture de police et, ayant enfoncé l'aile droite du véhicule, je dus céder mes bottes à ces fumiers galonnés ainsi qu'une belle veste de cuir. Sur l'île d'Olkhon, je voulus en acheter une à un paysan. Les freins ne marchaient pas, le réservoir fuyait. « Chaque moto a sa vie propre », m'expliqua le propriétaire. Au Cambodge, je rentrai dans Angkor à bord d'une Oural blanche dont le cardan cassa sous la porte de l'Ouest où veillait le Bouddha. J'en rapportai un exemplaire bleu de Moscou, par la Finlande, en plein été : la Baltique sentait l'humus, les oies sauvages fusaient vers des soleils tardifs. Dans la banlieue de Paris, ratant un virage, j'enfonçais le coin d'un pavillon de meulière. Le propriétaire ne fut pas sensible à la poésie de la ferraille soviétique, son mur était démoli, le side-car, lui, n'avait rien. À Rungis, lors d'un contrôle sauvage, ma machine fut saisie. Elle n'était pas en règle, mes faux papiers russes n'eurent aucun effet sur les douaniers.

Goisque, pour sa part, avait traversé en Oural le delta du Mékong et les steppes kirghizes. Ensemble, à bord d'Oural de 1966, nous avions fait le tour du lac Baïkal sur la glace vive. Il avait fallu s'habituer à rouler sur le miroir gelé et à ne pas freiner brusquement quand la surface cristalline prenait l'apparence de l'eau libre. Goisque partageait mon goût pour le pilotage des side-cars russes, pour l'impression de se tenir à cheval tout en barrant un chalutier.

Gras, lui, ne savait pas piloter. Il ferait contrepoids. Nous lui offrions la place du mort dans un cercueil de zinc. En Terre de Baffin, je lui avais menti en lui jurant qu'il pourrait lire au chaud. En vérité, les prévisions nous promettaient un retour affreux. Ça n'allait pas être le cauchemar de 1812, certes, mais ce serait plus sportif qu'un pique-nique en Toscane. Nous fixâmes notre drapeau à l'avant du panier. Sur le fond tricolore était inscrit en lettres d'or :

Garde Impériale
L'Empereur des Français
au Ier régiment de chevau-légers lanciers

« Les gars ! dis-je, rien n'arrêtera notre Oural, pas même ses freins ! »

Nous étions au début de décembre. Nous décidâmes de partir le lendemain, c'est-à-dire le 2 décembre, jour du sacre de l'Empereur et d'Austerlitz. Puisque notre motocyclette devenait une navette sur la haute lisse du temps, puisque nous allions donner, tête baissée, dans le grand jeu de la mémoire et du mythe, autant multiplier les symboles, les correspondances.

Nous avions le bicorne, nous avions la date.

Restait à trouver les fantômes.

Ils attendaient sur le bord de la route.

À deux cents ans d'intervalle, nous avions un mois et demi de retard sur l'Histoire. Le 19 octobre 1812, la Grande Armée quittait Moscou. Elle ne comptait plus que cent mille hommes. Pour la première fois sous son bicorne noir, l'Empereur doutait. L'Armée s'apprêtait à escalader un des sommets de la souffrance et de l'horreur sur le long fil de l'Histoire des hommes.

Cent mille soldats donc. Et, derrière eux, des milliers de civils, de chevaux et de fourgons.

Nous, nous serions cinq. Gras, Goisque et moi, pour la France. Nos amis russes Vitaly et Vassili, eux, rouleraient sur leurs Oural, respectivement noires et blanches. Ils appartenaient à un club de motocyclistes suicidaires. Chaque année, ils se lançaient dans des raids sans retour. Il leur fallait alors abattre cinq cents kilomètres par jour dans le froid et la boue, vers des étapes gelées, des villes qui furent le décor de terribles guerres, lavées de larmes de femmes, d'anciennes capitales de douleur aux noms qui transperçaient le cœur : Koursk, Kharkov, Kiev. Ils offraient l'indifférence du Slave pour les conditions climatiques, l'insolence de l'alpiniste russe devant les gifles du ciel. Ils se baptisaient eux-mêmes « ouralistes-radicalistes ». Vassili ressemblait à un Varègue aux cheveux d'or, l'un de ces bardes qui descendaient le Dniepr au XIᵉ siècle pour vendre l'ambre baltique aux Turcs du Pont-Euxin. Il était grand et ses yeux fous ne se fixaient que si son interlocuteur lui exposait un problème d'injection dans un carburateur. Génie de la mécanique, inventeur, il avait déjà désossé des dizaines d'Oural. Avait-il autant de talent pour les remonter que d'énergie pour les disséquer ?

Vitaly lui, financier de son état, incarnait le Moscovite : rapide, intelligent, urbain, souple et manœuvrier. Cravaté le jour sous le climatiseur de son agence, mais capable par une nuit de neige de dormir en pleine forêt, enroulé dans un manteau de laine. En Russie, Tolstoï n'était jamais loin. La modernité n'avait pas complètement arraché ses enfants à la vie de plein air.

Ils étaient nos amis et un salut mémoriel à des centaines de milliers de morts russes et français leur semblait une bonne raison de se geler les genoux pendant quinze jours dans le néant de l'hiver. Ils avaient pris du retard. Les moteurs de leurs motos gisaient dans l'huile.

« Nous ne serons pas prêts demain, dit Vitaly.

— On s'en fiche, dit Vassili. Partez devant, à trois sur votre Oural, on vous rattrapera à Borodino avec vos bagages…

— On sera comme les Cosaques de Platov qui harcelaient l'arrière-garde de Ney, dit Vitaly.

— Les Cosaques harcelaient, mais ne gagnèrent jamais, dis-je.

— Nous, on vous rattrapera, vous verrez, dit Vassili.

— À demain, alors », dis-je.

Le premier jour.
De Moscou à Borodino.

MON INSOMNIE ÉTAIT PEUPLÉE de visions de tôles froissées. Toute la nuit j'avais essayé de trouver le sommeil. La perspective des voyages à motocyclette me tourmentait toujours davantage que l'idée de longs séjours dans la forêt ou que les projets d'ascensions alpines. Je n'arrivais jamais à dormir la veille de monter en selle. Sur la route, on est soumis à l'ironie du destin, bien plus que dans la nature sauvage. Un nid-de-poule, un camion trop large, une flaque d'huile : sans avoir pu esquisser le moindre geste, on est mort. J'allumai la lumière et regardai la carte sur laquelle était reproduit l'itinéraire de la campagne de 1812.

Napoléon n'aurait jamais dû s'approcher de la splendeur de Moscou. Il s'y brûla les yeux. Il y a comme cela des beautés interdites. En stratégie comme en amour : se précautionner de ce qui brille.

Le 14 septembre 1812, les yeux dans les bulbes, il contempla la troisième Rome du haut d'une colline. Le lendemain, il s'installait avec sa garde derrière les remparts du Kremlin. Je crois au *dharma*, à la roue du destin. Parfois, un événement d'apparence anodine met en branle un engrenage de faits insoupçonnés. Ce jour-là, à Moscou, se déclenchait un mouvement de causalités qui allait, deux ans plus tard, emporter l'Empire.

Certains soldats pensaient que Moscou n'était qu'une étape sur la route des Indes. Ils s'imaginaient pousser jusqu'en Mongolie pour « s'emparer des possessions anglaises » comme l'écrit le sergent Bourgogne.

Les soldats de la Grande Armée l'auraient suivi jusqu'aux confins du monde, cet empereur qui les avait couverts de gloire en Égypte, en Italie, en Prusse et en Espagne.

Ils ne se doutaient pas que, cette fois, l'idole les avait conduits au seuil du cauchemar.

L'avait-il seulement voulue, Napoléon, cette guerre hasardeuse ? Avait-il vraiment souhaité aventurer ses hommes dans les parages sans formes de la plaine à bouleaux où rôdent le Cosaque et le Moujik à fourche ? Hélas ! Pour lui, la campagne contre la Russie était devenue inexorable. Alexandre Ier, son ami, son frère, n'avait-il pas trahi l'accord passé à Tilsit, en 1807 ? Que restait-il de l'engagement du tsar de participer au blocus contre l'Angleterre ? Rien ! Le souverain russe avait ouvert ses ports aux bateaux anglais, il traitait avec la perfide Albion. L'empereur des Français ne pouvait laisser impuni pareil reniement.

Il fallait forcer le tsar à renouer ses promesses. Il fallait briser les liens clandestins entre Saint-Pétersbourg et les Britanniques. Il fallait accomplir ce dernier effort, obtenir cette ultime capitulation pour réussir le blocus contre Londres et parachever le grand œuvre de paix européenne : « L'Espagne tombera dès que j'aurai anéanti l'influence anglaise à Saint-Pétersbourg ». Napoléon s'aventurait dans l'immensité d'une puissance continentale pour venir à bout de son rival maritime !

À ses pairs, il expliquait les avantages d'une exhibition de force devant Alexandre Ier. Il inventait là – mais deux cents ans trop tôt – l'équation sur laquelle reposa la guerre froide de 1945 : « La réputation des armes est tout et équivaut aux forces réelles », disait-il à ses maréchaux. Montrer les crocs – c'est-à-dire mousquets, canons et sabres de cavalerie – suffirait. Le tsar, impressionné par le déploiement sur les bords du Niémen, terrifié par la perspective des charges de cavalerie, capitulerait au premier cliquetis, reviendrait à des dispositions favorables, restaurerait l'alliance. Étrange guerre consistant à enfoncer un adversaire pour le faire redevenir son ami !

En aucun cas la Grande Armée n'aurait à dépasser Minsk. Disons Smolensk, au maximum. On s'en retournerait peut-être même passer l'hiver à Paris. Cela, c'était le plan.

La chose que Napoléon n'avait pas prévue c'est qu'Alexandre Ier n'avait plus peur. Le tsar avait changé. Il suivait d'autres menées, avait contracté de nouvelles amitiés. L'Angleterre, la Suède, l'Autriche et même la Sublime Porte s'avançaient désormais en alliés des Russes. Saint-Pétersbourg était devenu le salon anti-napoléonien où les futurs coalisés préparaient 1814.

Il était 5 heures du matin. L'appartement de Jacques était silencieux. Nous buvions du thé noir en retardant le moment de sortir dans l'air glacé et, fiévreux d'insomnie, je disais à Gras que Napoléon n'était pas le plus coupable dans l'affaire de 1812. Ce qui nous exonérait du remords de commémorer la campagne.

« Ah oui, dit Gras, c'est la thèse de Sokolov, ça ! J'ai lu son livre à Donetsk.

— Sokolov ? dit Goisque. L'homme qui se prend pour Napoléon ? »

Oleg Sokolov, professeur d'histoire à l'université de Saint-Pétersbourg, vouait un culte à l'Empereur. Chaque année, il organisait des reconstitutions historiques. Des milliers de figurants casqués, bottés, costumés comme en 1812 rejouaient les batailles. Lui portait le bicorne et commandait la manœuvre. Il avait publié *Le Combat de deux Empires : la Russie d'Alexandre Ier contre la France de Napoléon — 1805-1812* [2] où il ne cachait rien des responsabilités d'Alexandre Ier dans la guerre franco-russe. Il avait pointé les trahisons du tsar, les efforts de Napoléon pour le ramener aux promesses de Tilsit. Il s'était attiré par là la colère de ses lecteurs.

---

2. Paris, Fayard.

Sokolov avait enfreint une loi russe : l'Histoire est une science délicate et l'on ne doit jamais dire du mal des siens, même si on a la vérité avec soi.

Nous étions, à présent, dans le garage. Une cafetière électrique fumait, posée sur la selle arrière, éclairée par l'ampoule huileuse. Vassili s'activait à souder des pièces indéfinissables. Nous serrions nos outils et nos bagages dans le coffre de la panière. Nous étions prêts à prendre la route. L'Oural le semblait elle aussi.

Le 25 juin 1812, la Grande Armée avait franchi le Niémen. Une colonne de quatre cent cinquante mille hommes avait traversé le cours d'eau, charriant, à gué, plus de mille canons. C'était le fleuve même où, en 1807, Alexandre Ier et Napoléon, à l'abri d'une tente dressée sur un radeau, signaient le traité de Tilsit se jurant paix mutuelle. Cinq ans plus tard, le sort faisait revenir l'Empereur sur ces berges de l'entente. Napoléon eût été bien inspiré de relire Héraclite et d'hésiter un peu avant de franchir son Achéron. « On ne se baigne jamais deux fois dans le même fleuve », enseignait le mage d'Éphèse.

D'ailleurs, sur la rive herbeuse, peu avant le déclenchement des opérations, un épisode étrange aurait dû alerter Napoléon que de funestes présages s'amoncelaient dans son zodiaque. Un lièvre passa en flèche sous les jambes de son cheval. La monture fit un écart, l'Empereur – meilleur cavalier pourtant que l'affreux saint Paul – tomba, se releva, remonta en selle et ne prêta plus attention à l'affaire.

« Il y a une autre intervention de lièvre dans l'Histoire. C'est dans Hérodote je crois, dit Gras qui avait tout lu et presque rien bu.

— Ah ? dis-je.

— Oui : Darius, le roi perse, arriva un jour devant la cavalerie scythe. Les deux armées se faisaient face, prêtes à l'assaut. Un lièvre fusa dans les rangs, les Scythes se débandèrent, coururent après la bête. Leur instinct de chasseur était réveillé, ils ne pensaient qu'à forcer le lièvre. Darius fut épouvanté : si des types, à l'heure de l'engagement, se faisaient distraire par une foutue bestiole, cela signifiait qu'ils étaient des brutes, sans peur ni émoi. Et les Perses, ainsi instruits, firent demi-tour.

— C'est ce que nous aurions fait », dit Vitaly.

Vassili et Vitaly étaient russes, donc superstitieux. Si Napoléon avait eu le sang slave ou oriental, il aurait maudit le lièvre du Niémen, craché dans l'herbe folle et, enfourchant son cheval, sonné le retour à Paris.

« Une histoire pareille, ça vous pose un lapin », dit Goisque.

En l'absence de signes et très peu versés dans les oracles, nous mîmes les gaz à 8 heures en ce 2 décembre 2012. Rien n'aurait su nous dérouter de notre obsession : rentrer chez nous.

Les Russes possèdent la passion de baptiser les rues de noms hors de proportion. Une artère sinistre balafrant une cité industrielle plantée dans un marécage s'appellera « chaussée des Enthousiastes ». L'axe d'une bourgade abandonnée : « boulevard des pionniers de la révolution d'Octobre ». Un sentier entre deux alignements de baraques en planches : « avenue de l'Académie des sciences ». Pour rentrer à Paris quand on est à Moscou, il suffit de suivre le sens de l'ironie russe et de s'engouffrer dans l'« avenue Koutouzov », du nom du général qui bouta le Français hors de Russie.

Koutouzov était gros, mais un génie quand même. Le 17 août 1812, Alexandre Ier remercia le commandant de ses armées, Barclay de Tolly, et le remplaça par le feld-maréchal Koutouzov. La stratégie de l'évitement, mise en place par Barclay de Tolly, se trouvait ainsi désavouée. Depuis le franchissement du Niémen par l'armée française, Barclay de Tolly avait en effet opté pour la dérobade. Son idée était brillante. Il avait eu la prescience que la géographie pouvait constituer sa meilleure alliée. L'immensité viendrait à bout de la Grande Armée mieux que les forces guerrières dont il disposait. Le pays était une fondrière, la plaine une souricière. L'horizon happerait les Français.

Napoléon, attiré par les ors moscovites, désireux d'une bataille, cherchant l'affrontement conformément à sa stratégie, se laisserait piéger dans les oubliettes steppiques, dans l'effrayante monotonie de la forêt, sous le néant du ciel. Il suffisait de le laisser s'enfoncer. On se retirerait, on refuserait tout combat, on laisserait la cohorte s'effilocher en longs méandres d'hommes et de bêtes harcelés par la vermine, accablés par les chaleurs, exaspérés par le recul de l'ennemi.

Quiconque a marché quelques jours sous les futaies de ce pays sait le désespoir et l'angoisse qui étreignent l'âme, au soir d'une journée où tout effort a semblé vain pour faire se rapprocher l'horizon. L'étendue russe est décourageante.

Seulement voilà. Le peuple russe, les élites de Saint-Pétersbourg ne souffraient plus cette reculade. Ils exigeaient un choc. Pour la nation humiliée par l'invasion française, le tournoi des ombres ne pouvait plus durer. La haine réclamait une saignée. Et ce fut au vieux chef Koutouzov que revint la charge de laver l'honneur dans un combat. Koutouzov fut l'artisan de Borodino. Il choisit l'emplacement de la boucherie qui se tint le 7 septembre « sous les murs de Moscou » pour reprendre l'expression de Napoléon, c'est-à-dire tout de même à cent vingt kilomètres de la capitale (mais pourquoi chipoter quand on règne sur le monde ?). Pendant toute la journée, fantassins, cavaliers et artilleurs se disputèrent les redoutes, les perdant et les reprenant tour à tour, jusqu'à ce que les Français finissent par les emporter. Napoléon avait trouvé que les Russes se faisaient tuer « comme des machines ».

Goisque m'avait rappelé notre rencontre de cet officier français, dans la plaine de Chamali, en Afghanistan. Il était chargé de la formation des officiers de l'Armée nationale afghane. L'homme devait connaître la formule de Napoléon. Il nous avait lâché, devant une troupe de soldats locaux progressant en ligne, à l'entraînement : « Regardez-moi ça, ils ont été formés par les Russes, ils viennent s'offrir en rang. Les Soviétiques devaient progresser comme cela à Stalingrad. »

Le carnage de Borodino détint longtemps le funeste record de « bataille-la-plus-meurtrière-depuis-l'invention-de-la-poudre ». D'un côté, vingt-huit mille Français périrent. De l'autre, cinquante mille Russes. Le choc préfigurait les massacres de masse de la guerre de Sécession puis des combats de 1914, ces orages d'acier sous lesquels l'homme du XXe siècle fut relégué au rang de matériau – comme le plomb ou la poudre – dont pouvait disposer l'état-major pour s'assurer la victoire. Borodino fondait l'entrée de notre époque dans l'âge des Titans. À dater de ce jour, la guerre ne se contenterait plus de prises éparses. Elle exigerait le sacrifice des masses. La différence – et elle était majeure – se situait dans la manière dont tombaient les hommes. Sous Napoléon, le soldat qui mourait au combat recevait le coup fatal d'un autre soldat qui déchargeait sur lui sa volée de plomb. En somme, les hommes se tuaient individuellement. En 1914, les choses s'inverseraient : soixante-quinze pour cent des victimes seraient fauchées par l'artillerie. Sous Foch, la boucherie allait devenir aveugle…

Un side-car Oural ne pèse pas lourd dans la circulation moscovite. Sur le goudron prévalent les lois de sélection darwinienne. À peine parti, Goisque avait tenu à ce que nous fassions un crochet par le Kremlin :

« On n'a pas le temps, avais-je dit.

— Et mes photos, les gars ? »

Il fallut sinuer vers la place Rouge.

Par les avenues moscovites où nous tenions le cap vers les rives de la Moskova, je réfléchissais à la stratégie de Barclay de Tolly. Les Anglais ont un mot pour désigner cette science de l'esquive : l'escapisme. Devant l'obstacle, l'escapiste préconise la fuite. À la manière des étoiles filantes, des chevaux sauvages, ou des torrents d'eau claire, l'escapiste ne supporte pas les chocs, les frictions, la laideur des contacts. Même l'argutie, il la juge vulgaire. Il trouve plus valable de tourner les talons, il se reconnaît dans la grâce des danseuses traversant la scène d'une coulisse à l'autre en quatre bonds de biche. Il préfère la volte-face du papillon à la charge bovine. J'avais vécu mes quarante premières années selon ce principe et aujourd'hui ne m'en trouvais pas tellement affecté. Je n'avais aucune amarre, pas la moindre attache, pas de famille, très peu d'ennemis, pas d'enfants ni de machine à laver et mes seuls amis étaient des gens discrets, pénétrés de la même philosophie. Gras, par exemple, mesurait le degré d'affection des proches à leur capacité de « supporter les absences et les silences ». Une lâcheté, l'escapisme ? Peut-être, mais je m'en moquais. Fuyons, pensais-je, puisque demain serait pire qu'aujourd'hui. Merde à tout et vive Barclay de Tolly !

La conduite de Koutouzov après la bataille de Borodino puis lors de la Retraite française prouva d'ailleurs qu'il n'était pas réellement hostile à l'escapisme.

Si l'on s'en rapporte aux pures statistiques, si l'on considère la Camarde comme une comptable, la bataille de Borodino fut une victoire napoléonienne. Le tribut russe fut supérieur aux pertes françaises. Mais, s'il s'agit d'une victoire, c'est d'une victoire grimaçante. Qu'avait gagné l'Empereur ? Le droit de s'enfoncer un peu plus avant dans le pays. Il n'avait pas obtenu l'écrasement militaire qui lui aurait servi la reddition du tsar sur un plateau. Avait-il péché par excès de prudence ? Beaucoup de maréchaux lui reprochaient d'avoir renâclé à envoyer la Garde impériale pour porter le coup final.

Jusqu'alors, Napoléon apparaissait sur le théâtre d'opérations, échafaudait un plan, distribuait les ordres, veillait dans la nuit, arpentait les bivouacs, houspillait les uns, haranguait les autres puis, à l'aube, il dirigeait les opérations, assistait à l'incarnation de sa pensée dans le mouvement des troupes et disposait, le soir, d'un triomphe implacable où le génie de la manœuvre, l'audace de la tactique et la furie française frappaient les nations, subjuguaient les souverains et versaient la bataille à la postérité.

Or, à Borodino, il fut timide. La bataille ne fut pas Austerlitz. « Je ne reconnais plus le génie de l'Empereur », osa même Murat. Napoléon laissa Koutouzov lui glisser entre les mains. Le tsar ne fut aucunement ébranlé et l'armée russe continua à se défiler derrière l'écran des bouleaux, aussi insaisissable qu'un banc de brume dans un bouquet d'ajoncs. Et, plus les Russes s'escamotaient, plus Napoléon — persuadé que la paix se jouerait à Moscou – exhortait ses colonnes à la vitesse. Une conquête, l'été 1812 ? Non, une chute dans le vide.

Nous nous rangeâmes sur les pavés, derrière le chevet de Basile-le-Bienheureux et réussîmes à arracher à un milicien le droit de demeurer là quelques minutes. À Paris, au pied de Notre-Dame, j'avais souvent une pensée pour les paysans du XIIIe siècle, accomplissant, du Hurepoix, du Gâtinais, leur voyage à Paris et découvrant soudain le monstre de pierre projetant sa flèche à cent mètres de hauteur. Pour nous, c'était une cathédrale gothique. Eux avaient la vision d'un vaisseau de mystères et de diablerie, d'un insecte fossile encalminé dans une ville en bois. Devant les bulbes multicolores de Basile, je songeais aux soldats français. Comme ils durent être saisis en ce 14 septembre, lorsqu'ils aperçurent ces dômes byzantins, ces crénelures rouges et ces bulbes pâtissiers, plantés dans la ville aux « douze cents clochers et coupoles bleu de ciel, semées d'étoiles d'or et reliées entre elles par des chaînes dorées[3] ». Le sergent Bourgogne ouvre ses mémoires par cet aveu : « Plusieurs capitales que j'avais vues, Paris, Berlin, Varsovie, Vienne et Madrid, n'avaient produit en moi que des sentiments ordinaires, mais ici la chose était différente : il y avait pour moi, ainsi que pour tout le monde, quelque chose de magique ».

« Cassez-vous maintenant ! »

---

3. MÉNÉVAL (Claude François de), *Dix ans avec Napoléon, Les Mémoires du secrétaire particulier de l'Empereur,* Paris, Le Cherche-Midi, 2014.

Règle universelle : ne jamais laisser un flic vous dire les choses deux fois.

Nous devions tous les trois nos connaissances napoléoniennes à des lectures récentes. Nous aurions pu passer le reste de nos existences dans les bibliothèques puisque, depuis 1815, un livre paraissait chaque jour sur le Premier Empire. Gras avait dévoré les mémoires d'une demi-douzaine de barons d'Empire et d'officiers prolixes. Goisque préférait les témoignages des hommes du rang ou des sous-officiers, écrits au ras de la route : il ne jurait que par le sergent Bourgogne, son semblable, son frère, un vélite increvable qui vénérait l'Empereur, acceptait les épreuves et prenait sa part de jouissance quand le destin la lui offrait. Bourgogne avait laissé de célèbres mémoires imagés et naïfs. Moi j'aimais Caulaincourt, le grand écuyer de Napoléon. J'avais emporté son récit de la campagne de Russie. Caulaincourt était un être complexe : ambassadeur de France auprès d'Alexandre Ier, il avait dissuadé Napoléon d'envahir la Russie. À présent que le désastre pointait, il déployait sa connaissance du pays, sa prévoyance et son génie tactique à trouver une issue pour la Grande Armée. Avec ça, le style, le courage et une froideur de fille moscovite. Son texte mêlait les hautes considérations et les anecdotes. Caulaincourt était aussi à l'aise l'épée à la main par une nuit sans lune qu'à la table des princes.

Les livres seraient nos guides sur la route. Ils nous diraient par où passer et où sonner la halte. Le soir, en les ouvrant, un autre voyage commencerait, non plus sur le goudron des nationales slaves, mais dans le souvenir des survivants de 1812 qui avaient pris la plume pour conjurer le cauchemar.

Dans mon esprit, Goisque, avec son sens des réalités et son passé de soldat, incarnait une sorte de Bourgogne. N'avait-il pas été sergent, lui-même, sur les pentes du mont Igman pendant le conflit yougoslave ? Gras, plus ombrageux, plus intérieur, pouvait faire un très bon Caulaincourt. Ne travaillait-il pas depuis cinq ans dans la diplomatie ?

« Et toi, Tesson, tu seras qui ?

– Napoléon, bien sûr », dis-je, sachant que ce genre de projet menait à l'asile.

Quand le gros des troupes françaises arriva à Moscou, les 14 et 15 septembre, c'était pour découvrir une ville « magique » certes, orientale pour sûr, mais désespérément vide. Pas un officier dans les rues, pas un boyard, ni même un soldat, plus un seul commerçant : les Russes avaient abandonné la cité. L'escapisme cher à Barclay de Tolly était devenu la stratégie de tout un peuple. Seuls des clochards, une poignée de Moujiks en haillons et quelques commerçants juifs erraient sur les trottoirs. Ici et là, des silhouettes disparaissaient dans une venelle, inquiétantes, furtives – et pourquoi brandissaient-elles ces torchères ? Les colonnes françaises s'enfoncèrent dans les avenues mortes que le feu allait bientôt ravager. Napoléon allait apprendre que, en termes de pyrotechnie, Néron était un amateur à côté d'Alexandre.

Après Borodino, le tsar s'était convaincu de sacrifier sa capitale. Puisque son feld-maréchal avait échoué à endiguer l'avancée française, il livrerait Moscou aux flammes. La cité ne tomberait pas aux mains de l'antéchrist corse. À contrecœur, il ordonna l'incendie, offrant ainsi à l'Histoire le plus grand bûcher qu'un souverain ait commis. Moscou allait être flambée pour la survie de l'Empire russe. Rostopchine, gouverneur de la ville, fut chargé de la besogne. Il libéra les prisonniers de droit commun et leur commanda de foutre le feu. On fit évacuer les pompes à eau hors de la ville afin que les envahisseurs ne puissent s'en servir et les repris de justice commencèrent à embraser le bazar de Kitaï-gorod, les entrepôts, les églises de bois, les palais nobiliaires ! Les premières flammèches portées par le vent furent observées dans la nuit du 14 au 15 septembre. Jour et nuit, la ville brûla d'un feu roulant. Le 16 septembre, Napoléon, installé dans le palais du Kremlin, faillit se laisser piéger par l'incendie. L'Empereur dut son salut à une venelle ouverte dans le rempart et à une volée de marches dérobées qui le mena à la Moskova. Les eaux du fleuve reflétaient le feu et les Grognards qui en avaient tant vu, de l'Égypte à l'Espagne, des pyramides à Iéna, se crurent devant la Géhenne. Les bulbes rougeoyaient, les palais s'écroulaient dans des froissements de bois carbonisé, l'air brûlait la gorge et la chaleur faisait fondre les cloches. Devant le ciel en sang et les palais en feu, Napoléon comprit qu'il avait sous-estimé la rage sacrificielle des Russes, la détermination d'Alexandre, et ce jusqu'au-boutisme des Slaves qui fera s'échouer des milliers de vagues humaines, cent cinquante ans plus tard, à Stalingrad, sur les récifs prétendument invincibles de la Wehrmacht.

La Grande Armée s'était aventurée dans un marécage, avait poursuivi une armée de fantômes et obtenu une demi-victoire.

Tout cela pour un tas de cendres.

Pourquoi Napoléon s'était-il opiniâtré à Moscou ? Pourquoi avait-il laissé les mâchoires de l'hiver se refermer sur lui ? Il avait cru que, en occupant la capitale économique, le tsar, pris à la gorge, finirait par implorer un traité de paix. Sur les bords du Niémen, l'empereur français s'était déjà nourri de semblables illusions. Dans les décombres fumants de Moscou, il continuait à s'intoxiquer de ses propres espérances. Égaré par sa confiance en lui, il négligeait d'écouter le général de Caulaincourt qui le pressait au départ.

Pendant que le Roi des Rois atermoyait, Alexandre, à Saint-Pétersbourg, demeurait inflexible. On ne négocierait pas avec le diable. Il n'était plus l'ami du souverain français. L'avait-il d'ailleurs jamais été ? Napoléon avait négligé ceci : Saint-Pétersbourg, la capitale spirituelle, était plus importante aux yeux d'Alexandre que la capitale temporelle. Moscou pouvait tomber, brûler, disparaître de la carte, la Russie, elle, demeurerait.

Et le temps passa, dans la poussière de suie. Du 15 septembre au 19 octobre, se rongeant les sangs, échafaudant des plans, gouvernant l'Empire à distance par le système de poste-express et d'estafettes mis en place par Caulaincourt, Napoléon attendit, espéra, s'autopersuada. Il perdit un mois. Les troupes du général Hiver eurent le temps de se mettre en ordre d'attaque.

Donc, nous pétaradions sur l'avenue Koutouzov. Moscou, la grosse capitale de fer, d'acier, de larmes et d'étoiles, nous boutait hors d'elle-même par la porte de l'Ouest dont le nom est associé à tous les malheurs de la Grande Armée.

Sur l'avenue, une bagnole nous frôla, la fenêtre s'ouvrit, un jeune Russe à nez pointu hurla :

« Fatigués de vivre, les gars ?

– Ta gueule, connard », dis-je.

Le pilotage n'élève pas la pensée.

Les Russes ont pavé le cours de leur histoire de monuments glorieux et de statues irréfutables. Nous en croisâmes une de Koutouzov le Gros, une autre de Gagarine. Puis ce fut un avion de la guerre en phase de décollage sur son piédestal. Puis pointèrent les faubourgs : c'était la route de Moïjak et, soudain, ce panneau apparut dont la vision confirmait que notre voyage n'appartenait plus uniquement au royaume des rêves, des abstractions aimables ou des projets d'ivrognes : « Borodino, quatre-vingt-dix kilomètres ».

Le side-car tanguait affreusement, Goisque, à l'arrière, pesait trop lourd ; Gras, endormi dans la panière, ne contrebalançait pas l'effet du déport. J'avais l'impression de me trouver avec mes deux amis sur un radeau non manœuvrable. L'un et l'autre étaient imperturbables. Depuis des années, ils voyageaient autour du monde dans les pires conditions, sans proférer une plainte.

Gras, 30 ans, avait conservé des comportements infantiles. Il buvait trois litres de jus d'ananas par jour, nageait deux heures à la piscine, se nourrissait de chocolat, et ressemblait à un champion de hockey neurasthénique. Il vivait depuis huit ans dans l'ancien Empire soviétique, il avait appris le russe à Omsk, séjourné quatre ans à Vladivostok. Il aimait le silence et avait trouvé la Sibérie à la mesure de sa mélancolie. Plus tard, il était devenu le directeur de l'Alliance française de Donetsk, dans le Donbass ukrainien. Ses amis russes le prenaient pour un des leurs. Ses étudiantes l'aimaient secrètement. Ses supérieurs hiérarchiques jalousaient son détachement. Les vieux barbons d'ambassade redoutaient un peu le jeune hussard ironique qui se coulait si bien dans la société du pays. Il travaillait à une thèse de géographie sur les confins des empires. Il aurait aimé ne jamais quitter les sommets des montagnes, la profondeur des forêts, cette géographie de la désolation qui, seule, convenait à sa tristesse. Il distillait son amour de la Russie dans de beaux livres que ses blondes élèves lisaient intégralement dans l'espoir de s'attirer un regard de leur professeur. Ses cheveux noirs et son teint mat ne lui valaient pas que les faveurs des filles slaves : les flics le contrôlaient systématiquement, le prenant pour un Tchétchène. Un jour, au Pakistan, il s'était brisé la jambe sur une paroi et avait attendu les secours vingt-quatre heures, pendu à un piton à cinq mille mètres d'altitude, sans ressentir trop d'inquiétude. Quand nous partions marcher dans la forêt ou que nous nous lancions dans l'ascension d'un sommet, il mettait un point d'honneur à ne pas emporter assez d'équipement. Il prenait la prévoyance pour une vulgarité. Très vite, la situation devenait critique et Gras, alors, se sentant à son aise, redoublait d'énergie à sortir du mauvais pas. Le reste du temps, il s'ennuyait et s'en fichait pas mal.

Goisque, lui, offrait un archétype plus terrien. Il n'aurait pas déparé dans une tranchée du Soissonnais en 1914. Il était picard, attaché à sa terre comme un soulier à la glaise. Après avoir visité cent pays, il continuait à tenir un labour de betteraves harassé de crachin pour le plus beau spectacle que la planète puisse offrir. Sa carrure de docker d'Anvers contrastait avec la finesse de ses mains. Deux yeux au bleu ardent, protégés par une arcade sourcilière néanderthalienne achevaient de lui conférer une allure paradoxale, comme si la nature avait refusé d'exprimer en lui toute gradation entre la brutalité et le raffinement. Depuis vingt-cinq ans, il photographiait le monde pour la presse française. Il avait le genre éclectique. Un jour, il accompagnait le ministre en Afghanistan, un autre il sautait avec des parachutistes russes au-dessus de la Volga, puis il embarquait quinze jours sur le *Charles-de-Gaulle* avant de partir pour un reportage sur les masseuses du delta du Mékong. Nous avions bivouaqué ensemble, dans le désert de Gobi, dans la taïga sibérienne, au bord de la Caspienne, au Tibet et en Afghanistan et, devant le feu, il racontait son engagement sous le casque bleu de l'ONU, ses années de volontariat humanitaire dans la jungle cambodgienne, ses traversées océaniques à bord d'une jonque vietnamienne, ses voyages en Kâpîssâ, au Soudan, dans le Caucase. Il concluait, à mon grand dam, qu'aucun de ces souvenirs ne valait une matinée de printemps dans une ferme peuplée de cris d'enfants. En reportage, Goisque n'avait qu'une obsession : la lumière. C'était sa passion, son obsession. Si le ciel avait été beau pendant la journée, il pouvait se coucher par terre, dans le froid, avec un os à ronger et un sourire de bienheureux. Mais, si la lumière foirait, le plus luxueux des hôtels et la plus amicale compagnie ne pouvaient le distraire de sa ratiocination : « C'est foutu, reportage de merde ». J'avais donc à mes côtés un dandy pessimiste et un monomaniaque du photon. La fine équipe.

Nous étions trop peu couverts, les − 17 °C me mordaient les rotules et des camions lettons, surgissant plein pot à notre faible poupe, nous frôlaient, maculant nos vestes de giclures de neige. Le doute s'immisçait en moi : que foutais-je sur cette Oural en plein mois de décembre avec deux zouaves embarqués, alors que ces engins du diable sont conçus pour convoyer de petites

Ukrainiennes de quarante-six kilos par des après-midi d'été, de Yalta-plage à Simferopol ?

Autour de nous, la glace, les congères, les banlieues grises, les usines décrépites et les isbas de travers. Le paysage avait la gueule de bois. Même les arbres croissaient de guingois. Le ciel avait la teinte de la flanelle sale. Et cette boue salée que barattaient les roues des trente-trois tonnes nous mettait dans la bouche un goût de poisson pollué.

Un casque de moto est une cellule de méditation. Les idées, emprisonnées, y circulent mieux qu'à l'air libre. L'idéal serait de fumer à l'intérieur. Hélas ! L'exiguïté empêche de tirer sur un havane lorsque l'on porte un casque intégral et le vent relatif en éteint le bout incandescent lorsque le casque est ouvert. Un casque sert également de caisse de résonance. Il est agréable de chanter à l'intérieur. On se croit dans un studio d'enregistrement. Je fredonnais l'exergue du *Voyage au bout de la nuit*. Ces stances allaient devenir mon mantra pour les semaines à venir :

*Notre vie est un voyage
Dans l'hiver et dans la nuit
Nous cherchons notre passage
Sous le ciel où rien ne luit*

Dans la station-service, la dame prit peur. Avec nos couches d'habits, nous avions l'air de cosmonautes.

« Vous allez où ? demanda un camionneur.

— À Paris, dis-je.

— En Oural ? dit le type.

— Oui, dis-je.

Et il lança le mythique slogan de l'Armée rouge avant de claquer la porte de son Volvo :

— Reculer ? Jamais ! »

Pour les Français, il ne s'agissait pas de reculer, mais de fuir. Napoléon, à la tête de son armée affaiblie, visa d'abord la ville de Kalouga, à moins de deux cents kilomètres au sud de Moscou. Il désirait emprunter une autre route que celle de l'aller où le nuage de soldats — autant dire de criquets — avait dévasté les champs. Plus au sud, il espérait trouver une campagne prospère, un climat plus clément et des magasins pleins. Von Clausewitz exposa le principe suivant dans *La Campagne de 1812 en Russie* : « Celui qui retraite en pays ennemi a besoin d'une route préparée, celui qui exécute une telle retraite dans de très mauvaises conditions en a doublement besoin, et celui qui veut sortir de Russie après y avoir pénétré de cent vingt milles en a triplement besoin ». Napoléon lançait ses cent mille survivants sur une route qui n'était *pas* préparée.

Le projet de s'exfiltrer par le sud fut abandonné en moins d'une semaine. Les Russes attendaient les Français à Maloyaroslavets, sur la route de Kalouga. Le 24 octobre, le général Dokhtourov attaquait l'avant-garde du vice-roi Eugène, sans en avoir reçu l'ordre du feld-maréchal Koutouzov. À présent qu'elle fuyait, le feld-maréchal entendait harceler l'armée sans jamais l'affronter, la forcer comme le chien poursuit le cerf dans la forêt, « la laisser fondre » en accompagnant sa fuite. Il voulait être le fouet sur l'échine. « Il était absurde de se mettre en travers du chemin d'hommes qui consacraient toute leur énergie à fuir », dit Tolstoï dans *La Guerre et la Paix*.

Dokhtourov, exaspéré de la retenue de son commandant, pressé de se battre, lança ses troupes. Le choc de Maloyaroslavets fut sans merci. Les Russes sentaient que la fortune changeait de camp. Les Français pressentaient qu'ils jouaient une partie vitale. La Grande Armée amputée, démoralisée, déjà frigorifiée, ne démérita point de son adjectif. Pourtant, « elle portait déjà en elle d'inévitables germes de mort, les conditions chimiques de la décomposition », croyait savoir Tolstoï. Dix mille cadavres plus tard, les Russes battaient en retraite. Mais ils avaient réussi à couper l'élan de la retraite, à entraver le projet initial, à faire naître le doute là où pointait déjà le découragement.

Napoléon renonça à la route du sud, aux villages pourvus et aux greniers remplis. Le 26 octobre, il arrêta sa décision : l'armée rentrerait via Smolensk, par là où elle était venue, par les terres qu'elle avait brûlées. La cohorte incurva sa route vers le nord-ouest pour regagner l'axe Moscou-Smolensk. Napoléon, flanqué de la Garde, prit la tête de la marche. Et, faisant route vers « la piste déjà foulée » comme l'écrit Tolstoï, donnant tête baissée dans la tragédie encore insoupçonnée, ignorant qu'il faisait le premier pas sur le chemin de sa chute, il mit le cap sur Borodino.

À 15 heures, nous arrivâmes à Borodino. En quittant Moscou, nous avions décidé de gagner directement le champ de bataille, sans faire le détour de Maloyaroslavets. Deux heures de jolie neige avaient rendu sa décence au paysage. Une route parallèle à la nationale nous rapprochait du haut lieu à travers une forêt dont Andersen aurait été l'auteur si les paysages s'écrivaient. Nous passions en revue l'armée des arbres blancs. Nous laissions des petits villages, les gaz à fond, et l'Oural traçait à 80 km/heure, sur la chaussée croûtée. Ici un supermarché, ici une station-service. Partout où les soldats étaient tombés, les Hommes avaient repris le cours de la vie et érigé les bâtiments nécessaires à leur confort. L'homme s'était habitué à vivre sur les ossements des morts.

« Heureusement que les fantômes n'existent pas, ce serait invivable », dit Gras.

Je conserve aujourd'hui le regret de n'avoir pas roulé par les forêts de Maloyaroslavets. Notre impatience (Borodino était un aimant) nous avait privés de reconnaître un endroit où l'Empereur vécut une scène parfaitement stendhalienne. Le 25 au matin, peu avant la bataille, Napoléon voulut s'assurer des positions de l'ennemi. Accompagné de Caulaincourt, de Lauriston, de quelques officiers et chasseurs du piquet, il chevauchait avant l'aube vers les positions russes. Dans la nuit, le petit peloton ne s'aperçut pas qu'il dépassait les faisceaux français et il vint donner dans les bivouacs cosaques. On entendit des hourras ! Les chasseurs du piquet continrent l'ennemi, des renforts arrivèrent et Napoléon fut sauvé. Caulaincourt en ressentit longtemps des sueurs froides : « L'Empereur était seul avec le prince de Neufchâtel et moi. Nous avions tous trois l'épée à la main. […] Si les Cosaques qui vinrent sous notre nez, et qui nous entourèrent un moment, avaient eu plus d'audace et fussent tombés en silence sur la route au lieu de hurler et de ferrailler sur les bords du chemin […] l'Empereur eût été tué ou pris. »

Pendant que l'Oural écartait le rideau de flocons, je pensais à la scène, je pensais « au plus grand capitaine qui ait jamais existé » à cheval, en pleine nuit, prêt à croiser le fer avec l'ennemi. Je pensais au sergent Bourgogne révélant, après l'échauffourée, que « l'Empereur riait de ce qu'il avait failli être pris ». Et me revenaient les images d'Eltsine sur son char devant la maison blanche en feu, de de Gaulle allumant son clope pendant la fusillade de Notre-Dame en 1944, du chancelier Helmut Kohl chargeant une foule de détracteurs en culbutant ses gardes du corps. Parfois il n'est pas interdit aux grands hommes de manifester du cran.

Borodino, capitale de la douleur. Nous plantâmes la roue avant du side-car dans la neige, au pied du monument dressé à la mémoire de Koutouzov. De là-haut, le regard embrassait la plaine où la furie française enfonça le courage russe. Là s'effondrèrent les corps des soixante-dix mille suppliciés de la « bataille des géants ». Des bosquets de bouleaux, de trembles, frappaient la campagne de médaillons grisâtres. Comme ils durent prospérer les aïeux de ces arbres, après le grand carnage ! La guerre tue les hommes, martyrise les bêtes, éloigne les dieux, laboure la terre et engraisse le sol. Des fermes fumaient, massées dans les replis. Les hameaux semblaient grelotter. Un sanglot rôdait par-dessus cet écrasement. Les morts infusaient une solennité dans le paysage aluminium.

« Les gars, lisez ça ! dit Gras.

— Traduis-nous, plutôt. »

Dans la pierre du monument indiquant l'endroit où Koutouzov avait assisté à la bataille, une inscription était gravée : « Ici, nous avons combattu contre l'Europe ». D'un point de vue technique, la phrase n'était pas fausse, la Grande Armée était le chatoiement des nations de l'Empire et ses rangs se gonflaient de recrues italiennes, polonaises, prussiennes, autrichiennes. D'un point de vue historique, l'assertion était malhonnête car les Russes pouvaient se prévaloir eux aussi de soutiens étrangers, celui de l'Angleterre en tête. D'un point de vue culturel, le raccourci plaisait aux Russes, persuadés de leur destin extraeuropéen, convaincus de posséder la mission de tracer une voie propre entre l'Asie et l'Occident. D'un point de vue spirituel, la formule était cruciale : la bataille de Borodino avait fait couler ce sang qui avait servi de saint chrême pour baptiser le tout nouveau sentiment patriotique russe.

Nous coupâmes à travers un champ pour gagner le monastère érigé par Nicolas II en 1912, à l'occasion des commémorations du centenaire. La neige s'épaississait. Les cylindres hurlaient dans les ornières car nous étions trop lourds et la piste était une balafre de boue gelée. Notre drapeau claquait à la proue de la nacelle. Les arbres alignés formaient des faisceaux tristes. Le monastère apparut, brouillé de lents flocons qu'accrochait le pinceau du phare. C'était une bâtisse de briques, sans grâce, faisant le dos rond dans la tourmente. Puis le monument principal de Borodino se profila au fond d'une allée d'arbres : une colonne noire surmontée d'une croix d'or. En face, un petit musée consacré à la bataille.

« Nous avons sidéré les Français en nous repliant avec art. » Sur les documents exposés dans les vitrines, on lisait ce genre de déclarations. Les Russes écrivaient leur histoire en prenant bien des libertés. Les Français jugeaient au contraire les Russes d'un « courage passif[4] ». Mais l'enthousiasme russe était de bonne guerre. Est-ce un crime de sacrifier un peu la vérité à la fierté ?

La neige faisait pleuvoir le silence sur la route. La nuit vint, la neige continua dans le noir. À Moïjak, grâce à Mikhaïl qui gardait un garage de camions, nous trouvâmes à loger dans un foyer d'ouvriers, attenant à une usine. Dans la modeste chambre, chauffée par l'usine thermique locale, nous nous trouvâmes heureux de

---

4. *Op. cit.*

n'avoir pas à construire un feu, à monter la garde dans la nuit cosaque, à nous enrouler dans de mauvais manteaux ou à nous protéger de la neige sous quelques tapisseries de prix arrachées aux murs des palais moscovites.

On dénicha même un sauna ouvert. En Russie, pour quelques centaines de roubles, on peut se purifier le corps et se laver l'âme dans les étuves publiques. Il faisait 80 °C dans la cabine en bois. Nous étions là, à poil, bonnet de feutre sur la tête, et nous nous fouettions tour à tour avec les *veniki*, ces branches de bouleau dont le claquement sur la peau est censé ouvrir les pores, agacer le sang et brasser la chaleur. Il fallut une bonne heure de rissolage pour que les corps oublient qu'ils avaient eu très froid sur la route. Pourtant, cela ne faisait qu'une journée que nous avions quitté Moscou !

À minuit, un coup de fil de Vassili :

« Les gars, ça va ? dit-il.

— Les réparations ? dis-je.

— Finies. Enfin presque, dit-il.

— Quand est-ce qu'on se rejoint ?

— On fignole cette nuit, on vidange, on fait le plein à l'aube, on enfourche et, demain, on sera à Borodino à midi.

— J'espère, dis-je.

— L'espoir meurt en dernier », dit-il.

Le deuxième jour.
De Borodino à Wiazma.

Hélas ! Le bien-être – comme l'énergie ou le bonheur – ne s'emmagasine pas. Si la tempête hurle dans le petit matin, elle vous sautera à la gorge, que vous ayez ou non mijoté dans un *bania* la veille et reposé dans des draps chauds. Ce matin, l'Oural avait disparu sous la neige. Nous pelletâmes et partîmes attendre nos amis sur le champ de bataille.

Vers le 28 octobre 1812, près de dix jours après son départ de Moscou, la Grande Armée arriva à Borodino et traversa ce même champ où le combat avait fait rage, cinquante-deux jours plus tôt. Les populations n'étaient pas retournées dans les villages. Les cadavres jonchaient le sol, putréfiés. Les membres et les têtes sortaient de la terre. Les miasmes empuantissaient le ciel et des nuées de charognards couronnaient ce tableau. Et les soldats passaient, écrasant du brodequin les chairs de leurs camarades ou de leurs adversaires. Parfois un gémissement : c'était un survivant, un spectre dont la mort n'avait pas voulu et qui, deux mois durant, s'était nourri de la viande morte de ses frères, trouvant refuge dans les carcasses des bêtes. Dans l'imaginaire collectif, la traversée du champ de Borodino inaugure le temps de ces représentations d'Épinal du soldat de la Grande Armée passant la nuit dans la tripe d'un cheval. Le sergent Bourgogne s'épanche : « Rien de plus triste à voir que tous ces morts qui, à peine, conservaient forme humaine »…

Là venait tout de même une réflexion. Ce « rien de plus triste », je le trouvais d'une retenue terrible. Qu'aurions-nous éprouvé, nous autres, devant ces spectacles ? Comment l'aurions-nous décrite, cette plaine de Borodino, nous qui n'avions pas accepté que quatre-vingt-neuf de nos soldats donnent leur vie en dix ans de conflit afghan ? Comment faisaient ces hommes pour supporter ce qu'ils voyaient ? S'habitue-t-on vraiment au côtoiement des morts ? Était-ce nos nerfs qui s'étaient affaiblis, en huit générations ? Nous autres, dans une vie de quarante années, nous avions vu quelques cadavres, une trentaine peut-être, guère davantage : des proches morts dans leur lit, quelques êtres disparus dans des accidents, tombés en montagne, crevés sur la route. Mais eux, les soldats de l'an 1812, piétinaient carrément des champs de chair, couchaient dans des talwegs « remplis de cadavres en putréfaction » – Bourgogne, encore –, voyaient leurs régiments décimés par l'artillerie en quelques heures, leurs amis de vingt ans coupés en deux par le fil d'un sabre et parvenaient le soir au terme de journées où soixante-dix mille hommes avaient été déchiquetés autour d'eux.

« Vous voyez les gars, dit Gras, la modernité, ce n'est peut-être pas tellement d'être entré dans la société du spectacle, mais c'est que le spectacle s'est adouci.

— Réjouissons-nous, mon vieux », dis-je.

L'autre explication, c'est Caulaincourt qui la donne. Elle renvoie à ce qu'acceptèrent les malheureux Poilus de 1914. Ils supportèrent d'être témoins de l'horreur parce qu'ils en étaient aussi victimes : « Ne devait-on pas cette insouciance à ce que les dangers que chacun courait personnellement émoussaient la pitié qu'aurait inspirée, dans d'autres circonstances, le douloureux spectacle qu'on avait sous les yeux ? »

À midi, Vassili au téléphone :

« Problème avec le générateur, on est encore à Moscou.

— Ce sera long ? dis-je.

— Non, on a fini. Partez ! On vous rejoint ce soir à Wiazma. On est plus rapide : vous êtes trois, vous êtes lourds, vous êtes français. »

Il y avait d'autres monuments, plantés dans le champ de Borodino. L'un d'eux rendait hommage aux morts de la Grande Armée ; il avait été inauguré par le président Giscard d'Estaing du temps de son mandat. Pour l'atteindre, il fallait s'enfoncer dans la neige poudreuse.

« Vous avez remarqué ? dit Goisque. Seuls les accès aux monuments russes sont pelletés par la voirie. »

Nous qui venions d'un pays où l'on fait si grand cas de l'Autre, de nos victimes, de nos adversaires, de nos ennemis, où nous ne manquions jamais une occasion de nous accuser d'avoir défendu nos intérêts, de nous excuser d'avoir vaincu, nous trouvions la différence de traitement légèrement cavalière.

Nous partîmes rejoindre la route de Minsk par des petites traverses campagnardes. Les roues du side-car accrochaient bien la neige dure. Nonobstant la pétarade, nous nous serions crus en traîneau, traversant des forêts de contes. J'avais mal calculé la réserve d'essence, nous tombâmes en panne à huit kilomètres de la grand-route. Gras et moi partîmes avec un bidon, vers un village, encalminé dans les congères, à deux kilomètres de là, derrière un rideau de peupliers, laissant Goisque au piquet, près de l'Oural. À peine avions-nous atteint les isbas qu'une voiture de flic s'arrêtait près du side-car. Les Russes siphonnèrent leur réservoir, offrirent cinq litres et repartirent en souhaitant à Goisque « de ne pas mourir ». La vue du drapeau, du bicorne, de nos insignes impériales ravissait les Russes. Le nom de Napoléon les mettait toujours en grand frétillement. Évoquer à autrui ce dont il a triomphé est l'une des petites joies dont on aurait tort de le priver. Ce jour-là, nous dûmes nos cinq litres à l'aura de l'Empereur.

En hiver, la route de Minsk n'est pas recommandée à un side-car surchargé dont la vitesse plafonne à 80 km/heure. Une colonne ininterrompue de camions fusait vers l'Ouest, frôlant l'aquaplaning sur la boue dégueulasse. Des Lettons, des Tchèques, des Russes, des Allemands faisaient colonne, plein pot. C'était tout l'ancien bloc de l'Est qui transitait sur l'artère convoyant la vodka russe, le clandestin tadjik et la viande polonaise en se foutant pas mal de la petite Oural vert kaki de la taille d'une boîte à cirage.

C'est là, sur cette route de Wiazma, que le froid saisit les colonnes de la Retraite. « Le lendemain 29, on fut à Ghjat, écrit Caulaincourt. Le froid était déjà bien rigoureux. […] Ici, l'hiver se faisait déjà sentir plus fort. » Le froid… C'est lui, davantage que la distance, les raids des Cosaques, les privations et les épidémies, qui allait terrasser la Grande Armée, la « faire fondre » pour reprendre l'expression de Koutouzov. À Moscou, les soldats s'étaient payés du bon temps. Ils s'étaient revanchés des marches forcées en perçant les tonneaux, s'étaient saoulés au rhum de Jamaïque, au schnaps allemand, à la vodka russe, à tout ce que l'incendie ne leur avait pas soustrait. Ils avaient organisé des bals, obligeant les violonistes juifs terrés dans les décombres à assurer le crincrin. Certains s'étaient même trouvés femme en vertu de ce principe d'oscillation de l'existence que le sergent Bourgogne formule dans ses *Mémoires* : « Du combat à l'amour et de l'amour au combat ». Mais combien de soldats avaient consacré le mois de cantonnement à se confectionner manchons, manteaux de laine, gants de lapins et chapkas de fourrure ? Seuls les soldats polonais s'étaient un peu précautionnés. Ils étaient slaves, ils savaient de quel bois se chauffait l'hiver.

Combien d'entre eux avaient écouté Caulaincourt qui – presque seul – s'inquiétait de l'hiver, préconisait de fondre des fers à cheval cloutés et de doubler les vêtures ? Aucun. Le grand écuyer avait même essayé d'alerter l'Empereur :

« Sire, prenez garde à l'épreuve qu'est l'hiver là-bas.

– Caulaincourt, vous vous voyez déjà gelé. »

Napoléon méprisait la météorologie. Un jour de 1809, rencontrant Lamarck qui venait de jeter les fondations de cette science, il lui cracha : « Votre météorologie [...] qui déshonore vos vieux jours ». Le Roi des Rois, persuadé de son étoile, ne concevait point que les contingences climatiques puissent se mettre en travers de son destin. Ce n'était pas au ciel de commander ! À Wiazma, le 1er novembre 1812, alors que le climat laissait espérer un redoux, il lança au prince de Neuchâtel : « Les contes qu'on faisait sur l'hiver en Russie ne devaient effrayer que les enfants ». Les génies de ce monde affichent toujours un mépris des lois cosmiques proportionnel à la confiance qu'ils accordent à leur minuscule personne. La Grande Armée avait fait la cigale, la bise s'en était venue...

La nuit se flanquait sur la Russie. Les feux de Wiazma ne venaient toujours pas. Les camions nous frôlaient et le trou d'air creusé par leur masse nous aspirait vers le milieu de la chaussée. Nous étions un jouet ballotté entre des murs de tôle. Un trou sur la route aurait réglé nos ennuis, lavé tout regret. Il fallait composer contre le froid, la buée, la nuit, la circulation, la neige et le verglas. Et, parmi tous ces chiens qui nous mordaient aux basques, il y avait le pire de tous : le sommeil. Je luttais à grands coups de poing dans le casque pour ne pas fermer les yeux. Parlons-en de mes yeux ! Myope comme un statisticien, je ne distinguais rien à travers la triple protection de mes lunettes, de mon masque et de la visière de mon casque. Au début, j'essayai de nettoyer la buée, mais mes gants pleins de boue laissaient des traînées opaques sur le Plexiglas. Alors, recroquevillé sur mon siège, interprétant du mieux que je pouvais le peu que je distinguais, je me dis que Gras et Goisque étaient de bien singuliers compagnons. Me confier leurs vies, à moi, incapable de distinguer les feux arrière des camions serbes à moins de trente mètres, manifestait une sacrée preuve d'amitié. Au moins, Goisque avait-il le secours de la foi chrétienne, mais Gras, qui, comme moi, ne croyait qu'à la nuit et aux courses en montagne, fallait-il tout de même qu'il soit désespéré ou, du moins, à peine plus attaché à la vie qu'un panier de side-car à sa moto tractrice.

« Wiazma, dix kilomètres », annonçait le panneau. De quel droit se plaindre ? A-t-on l'autorisation de geindre sur une route où des hommes se mangèrent entre eux, où les chevaux tombèrent par milliers et furent dépecés vivants par des fantômes lassés de ronger le cuir de leurs bottes ? La raison du voyage que nous accomplissions était précisément de s'enfoncer des visions de cauchemar dans la tête afin de faire taire les jérémiades intérieures et de tordre le cou à cette mégère, cette pulsion répugnante qui est le vrai ennemi de l'homme : l'autoapitoiement. Après notre voyage sur le chemin de la Retraite française, lorsque je me trouvais sur les falaises trop raides, en des bivouacs trop froids, j'ai souvent pensé à ces bougres rampant sur la route de glace, emmitouflés dans leurs haillons, nourris de tripe faisandée et j'ai ravalé la glaire des geignements qui me venait aux lèvres.

Comment sommes-nous arrivés à Wiazma ? Comment nous sommes-nous retrouvés dans ce petit hôtel du centre-ville ? Ce soir-là, il chiffrait – 15 °C.

« Les gars, c'est vraiment imbécile, dit Goisque. Tous les trois, n'est-ce pas, on en a fait des choses, mais là, cette route, au milieu des camions, avec nous, accrochés à ce petit panier et Tesson qui ne voit rien, c'est l'une des virées les plus dangereuses de ma vie. »

Et, comme nous étions d'accord avec lui, comme nous avions tous les trois senti que le souffle de certains camions dans notre cou sifflait pareillement à la lame de la Faucheuse, nous convînmes d'aller nous jeter un bol de *bortsch* chaud dans le premier café.

Le troisième jour.
De Wiazma à Smolensk.

L A CHAMBRE ÉTAIT UN CHAMP DE BATAILLE. Nos vêtements pendaient, accrochés aux cordages tendus,
de la lampe à la porte, de la fenêtre au lit. La
veille, nous avions bu deux litres de vodka au lieu des
trois petits verres prévus, étions rentrés assez dissipés et
avions entrepris une bagarre amicale, vers minuit. J'avais
tenu au moins trois secondes face à la masse de Cédric,
mais la charge avait suffi à crever l'armoire. On s'était
relevé, on avait recommencé, on s'était bien amusé.
Les rideaux pendaient, à demi-arrachés. Les meubles
étaient renversés. La table retournée était ensevelie sous
nos parkas trempées. Les casques dégouttaient dans la
baignoire. Un romanichel aurait été choqué.

À l'aube, devant le café chaud et la soupe de chou,
coup de fil de Vassili. La vodka de la veille creusait des
galeries entre mes tempes. Sa voix vrillait comme une
mèche de 12 dans la matière grise :
« On est encore à Moscou, on va partir à midi, il a
fallu changer les alternateurs, dit-il.

— Les gars, on commence à en avoir marre, vous avez nos sacs avec nos affaires ! On se les gèle et le side-car est à la peine avec nous trois dessus.

— Ne vous inquiétez pas, on vous rejoint entre Wiazma et Smolensk, on est plus rapide que vous, dit-il.

— Ça fait trois jours que vous dites cela ! Je ne vous crois plus, dis-je.

— Homme occidental très vite désespéré », dit-il.

Le temps s'était radouci : − 8 °C. Le ciel était bleu ; le soleil, une boule joyeuse par-dessus la forêt. Les bulbes étaient des gouttes d'or perlant dans l'espoir du matin. Le side-car démarra au quart de tour et nous prîmes la route de Dorogobouj, le cœur léger et une enclume dans la tête.

Napoléon était arrivé à Wiazma le 31 octobre. Il y cantonna le 1er novembre et en repartit le 2 à midi. L'armée de plus de cent mille soldats au départ de Moscou s'était déjà presque évaporée de moitié !

Autour de nous, ce matin-là, les rideaux de bouleaux qui flanquaient la vieille route avaient des reflets bleus. Les baliveaux fouettaient un air mauve et des coulées d'un jaune pâle échappées de la lumière froide striaient les congères des bas-côtés. Je pensais à Chagall et convoquais les ombres. À quoi pouvait ressembler cette colonne en déroute ? À une armée de spectres. Mais de spectres de haute couleur et de grande tenue.

Au départ de Moscou, chacun, plus ou moins ravigoté par cinq semaines de stationnement dans la capitale, désirait rapporter dans la mère patrie le fruit de son pillage. Dans ses *Mémoires*, le sergent Bourgogne fait l'inventaire de son butin avec l'innocence des victorieux. Il part, le sac alourdi d'un « costume de femme chinoise en étoffe de soie, tissu d'or et d'argent », d'un « morceau de la croix du grand Ivan », d'une « capote de femme de couleur noisette, doublée en velours vert » ainsi que de deux tableaux dont l'un représentait Neptune et l'autre le jugement de Pâris, d'un jupon de femme, d'un grand collet doublé en peau d'hermine et d'un petit vase de Chine… Mais, dès les premiers froids de la fin d'octobre et les chutes de neige de Wiazma, les tissus de prix, les brocarts de soie et les tentures palatiales n'eurent plus d'autre utilité que de protéger les membres engourdis des soldats et leurs têtes dont « le cerveau se glaçait » selon les mots de Bourgogne. On vit alors des dizaines de milliers de capitaines, de sergents, d'hommes du rang et de civils mêlés — car ils étaient plus de mille, artisans, comédiens, marchands, femmes et enfants à avoir fait le choix de suivre la Grande Armée pour s'épargner les représailles russes — des dizaines de milliers de fuyards, attifés de couvre-chef de fantaisie qu'ils avaient bourrés de paille, drapés dans des cotonnades rembourrées de feutrine ou de laine, enroulés dans les dais de satin qu'ils avaient arrachés aux boiseries d'un palais ou emmitouflés dans des tapis de Boukhara que retenaient des rubans de soie.

Et ils formaient ainsi une colonne grotesque dans laquelle on reconnaissait entre les shakos, les sabretaches et les charivaris réglementaires, une cape de dame russe, une peau de zibeline, une pièce de dentelle. Le capitaine François, avec ses deux balles dans la jambe, marchait « une botte et une savate aux pieds, une béquille à la main [...] couvert d'une pelisse rose doublée en hermine et le capuchon sur la tête ».

Cette armée carnavalesque s'enfonçait dans l'horreur. Parfois, nous dit François, le spectacle de ces fantassins en haillons avec de longs glaçons à chaque poil de barbe, couverts de peaux « brûlées aux rares feux de bivouac », réussissait encore à arracher des rires à un soldat. Peut-être s'agissait-il de conjurer le malheur en se tenant les côtes ? Peut-être était-ce la mort qui envoyait ses spasmes ?

L'équation de la richesse s'était renversée. Ceux-là qui s'étaient alourdis de cloches d'or, de service Gardner, d'horloges de la manufacture de Petrodvorets, d'ambre baltique et d'ivoire sibérien convoitaient à présent les fourrures, la farine et même ces casseroles cabossées qui, sur le marché des épreuves, allaient coter infiniment plus cher que les rivières de perle volées aux comtesses moscovites. On s'allégea alors de sa moisson. Et la route, écrit Bourgogne, se couvrit « d'objets précieux comme tableaux, candélabres et beaucoup de livres [...] des éditions de Voltaire, de Jean-Jacques Rousseau et de *L'Histoire naturelle* par Buffon, reliées en maroquin rouge et dorées sur tranche ». Alors, ceux qui avaient pris la précaution de s'équiper sérieusement devinrent les maîtres et les exploiteurs des porteurs de trésors inutiles et ils monnayèrent une livre de patate ou une poignée de gruau, ajoutant à la détresse générale la honte de l'usure individuelle.

Nous allions sur la route tenant le 80 km/heure au compteur. Derrière la haie des saules et des roseaux, raidis par le gel, dormaient les étangs. Et, au fond des étangs, reposait l'or du pillage de Moscou. Au bout d'une cinquantaine de kilomètres, l'Oural montra des signes de faiblesse. Le moteur forçait dans les accumulations de neige. Les pistons surchauffaient et la piste empirait. Je contraignais Goisque et Gras à descendre souvent pour passer à pied un tronçon défoncé. Le carter raclait contre la boue gelée. Quand une roue s'enfonçait dans un trou, le pot d'échappement donnait violemment contre le sol. Il fallait enfoncer les gaz pour passer en force. Nous épuisions la bête. Je coupai le moteur à quatre-vingts kilomètres de Dorogobouj :

« Les gars, on va casser la machine ! Il faut faire demi-tour, dis-je.

— La Garde meurt, mais ne fait pas demi-tour, dit Gras, qui commençait à prendre le pli héroïque.

— Il ne s'agit pas de la Garde, mais du side-car, mon vieux. »

L'alternative était de revenir à Wiazma et de gagner la route principale, le nouvel axe Moscou-Smolensk, qui courait, parallèle, à vingt kilomètres plus au nord de la route historique. Cela ne nous enchantait guère de retourner sur nos pas, mais nous reprîmes tout de même la piste, en sens inverse.

Les hoquets du moteur redoublèrent. L'Oural souffrait dans la profonde. Ce side-car n'était pas une machine à labourer la poudre. Wiazma était encore loin. Nous nettoyâmes la suie sur les têtes de bougie puis, laissant Goisque et Gras marcher dans la neige, je mis les gaz vers le village de Vasino pour chercher un chauffeur et l'envoyer récupérer mes amis. Dans la rue principale du hameau, un épicier ouzbek achevait de démonter le stand de son étal.

Le type se montra suspicieux. Je crois que le bicorne accroché sur la nacelle lui faisait mauvaise impression. Il lui paraissait improbable que des Français aient triplement choisi l'hiver, le side-car et la vieille route de Smolensk pour rentrer chez eux. Je m'embrouillais dans mes explications d'où il ressortait que nous répétions le chemin de la Retraite et que j'avais laissé mes deux amis en arrière.

« Mais Paris, c'est dans l'autre sens, dit-il.

— Oui, mais les bougies sont mortes, dis-je. On rebrousse justement chemin pour les changer à Wiazma. »

Cinq cents roubles entamèrent ses réticences. L'évocation du village de Time d'où il était natif et où j'étais passé dix ans plus tôt, à cheval, lors de ma traversée des steppes du Turkestan ex-soviétique fit le reste. Je restai au village, il partit chercher Gras et Goisque. Avant de démarrer :

« Comment les reconnaître ? dit-il.

— Vous en connaissez beaucoup, des gens qui marchent sur les routes de nos jours en Russie ? L'un doit être en train de lire et l'autre de photographier les poteaux indicateurs », dis-je.

À Wiazma, changement de bougies, de gants et de route. Et nous redonnâmes, plein ouest, dans l'affreux axe Moscou-Smolensk où la procession de trente-trois tonnes nous rappelait à grandes gerbes que la Russie avait rejoint la valse du libre-échange.

Aux premières semaines de la Retraite, la stratégie des Russes laissa les Français pantois. À part à Maloyarosla-vets, où Dokhtourov avait conduit sa charge, les Russes n'attaquaient pas. Caulaincourt témoigne : « L'Empereur ne concevait rien à la marche de Koutouzov qui nous laissait fort tranquille ». Le feld-maréchal voulait laisser l'armée napoléonienne se vider seule de ses forces. À Maloyaroslavets, les pertes russes l'affermirent dans son idée. Il ne servait à rien de porter des coups à une troupe encore agressive alors qu'il suffisait d'accompagner son agonie. Le rapport de force avec les Français était en la défaveur des troupes du tsar. La Grande Armée restait combative. Napoléon recelait encore des réserves de génie stratégique. La Garde était intouchée. Et le froid mordait les Russes autant que les Français, sans distinction patriotique ! En attaquant plutôt qu'en se contentant de harceler, l'armée russe, tendue au maximum de ses forces, s'exposait à se détruire elle-même… Autour de lui, les généraux grognaient, les officiers piaffaient, voulaient en découdre. La soif de vengeance s'accommodait mal de ces prudences. Alexandre Ier lui-même houspillait « l'inaction incompréhensible » de son feld-maréchal. Mais le vieil obèse tint bon dans sa résolution. Plus tard, il reçut en manière de réhabilitation, le renfort d'une gloire des lettres. Tolstoï, dans *La Guerre et la Paix*, insiste sur le génie du chef russe. « L'armée en déroute de Napoléon s'enfuyait de Russie avec toute la rapidité possible, c'est-à-dire qu'elle faisait cela même que pouvait souhaiter tout Russe. Pourquoi donc entreprendre des opérations… À quoi bon tout cela quand, de Moscou à Wiazma, sans combat, un tiers de cette armée a fondu ? » Et Tolstoï de renchérir au cas où le lecteur n'aurait point saisi la chose : quand le bétail piétine vos plates-bandes, faut-il mieux le pousser promptement vers la sortie de la parcelle ou bien barrer sa route, le retenir, fermer les portes de l'enclos et le fouetter au sang ?

L'Histoire donna raison à Koutouzov : tous les accrochages entre les Russes et les Français furent en faveur de ces derniers. La Retraite de Russie repose ainsi sur ce paradoxe, pressenti par Koutouzov, unique dans l'Histoire des Hommes : une armée marcha, de victoire en victoire, vers son anéantissement total !

La nuit s'était foutue sur la plaine. Les cent soixante kilomètres entre Wiazma et Smolensk ne furent pas agréables. La buée rendait demi-aveugle. J'essayais de me pénétrer de ce mot de Cendrars : « En voyage on devrait fermer les yeux ». Le poète n'avait pas destiné cette phrase aux ouralistes de l'hiver. Essuyer mes visières était devenu une obsession. À la fin, je regardais la route à travers le demi-centimètre carré de plastique transparent épargné par les fleurs du givre. Le froid m'engourdissait au point que je n'aspirais qu'au sommeil, incompatible avec le pilotage. Le froid est un fauve. Il se saisit d'un membre, le mord, ne le lâche plus et son venin peu à peu envahit l'être. Les alpinistes savent que l'engourdissement est une réponse mortellement tentante aux tempêtes. À moto, si vous avez réussi à vous emmitoufler, le moindre geste, déplaçant d'un centimètre l'architecture de votre protection, sera fatal : le coulis du froid coulera. À 80 km/heure, il exploitera le moindre interstice dans la barricade des habits. J'étais tellement crevé que je faisais exprès de me déporter vers la gauche quand un camion voulait doubler pour que les rugissements du klaxon me fouettent un peu les sucs et me tiennent éveillé.

« Smolensk, cent kilomètres », disait un panneau bleu. Vassili et Vitaly nous avaient appelés tantôt, lors de notre retour à Wiazma. Cette fois ils étaient bel et bien partis de Moscou et, poignée des gaz à la butée, ils avaient juré sur les dieux de toutes les Russies de nous rattraper avant minuit. « On dînera avec vous à Smolensk ! »

D'autres raisons motivaient la retenue de Koutouzov. Le feld-maréchal ne désirait pas la mort de Napoléon. Il savait que l'Angleterre profiterait de ce que le Roi des Rois disparût de la surface du globe pour étendre sa domination.

Sa réticence à exposer son armée venait également de la certitude de pouvoir compter sur les partisans. Une guerre de partisans se définit par la somme des dégâts qu'une poignée d'hommes résolus peut infliger à un corps d'armée régulier, empêtré dans sa logique de masse, la lourdeur de sa logistique, la raideur de ses principes. Selon Tolstoï, la guerre des partisans, « c'est ce que firent les guérilleros en Espagne, c'est ce que firent les montagnards au Caucase, c'est ce que firent les Russes en 1812 ». On pourrait continuer la litanie de l'asymétrie : c'est ce que firent les fellaghas en Algérie, les Karens contre la junte birmane, les Talibans en Afghanistan. Et c'est ce que font toujours les agents dormants islamistes dans la guerre globale qu'ils ont déclarée aux démocraties laïques. L'auteur de *La Guerre et la Paix* date la guerre des partisans de « l'entrée de l'ennemi à Smolensk ». En réalité, dès le départ de Moscou, la Grande Armée se trouva assaillie par l'armée de l'ombre. « Les Cosaques couvraient le pays », se lamente Caulaincourt. Partout, derrière l'orée des bois, la brume des marais, surgissaient des détachements de quelques dizaines ou plusieurs centaines de partisans. Il y avait parmi eux des paysans assoiffés de pillages, des groupements parfaitement structurés, des miniarmées placées sous les ordres d'un chef, des bandes de maraudeurs, des fourriers sans foi ni loi et des opportunistes de la dernière heure comptant sur la déroute française pour se payer un avenir. Napoléon « les comparait aux Arabes », dit Caulaincourt.

Dans la guerre, les voyous suivent la troupe comme les mouettes les chalutiers. Ils attendent les lendemains de batailles pour détrousser les morts. Ils ont la patience des vautours. Parfois, ils mettent la main à la pâte, s'intègrent aux réguliers, participent aux combats. Pour le pillage, autant être au plus vite à pied d'œuvre. Tolstoï, dans *La Guerre et la Paix*, campait le personnage de Tikhon, un coupeur de route qui se battait dans les rangs cosaques et volait tout ce qu'il pouvait en proclamant sa foi dans la « sainte guerre de libération de la patrie ». C'était la figure éternelle de la crapule opportuniste qui tire profit des hauts enjeux de son temps. Je me disais que bien des membres des factions islamistes d'aujourd'hui s'apparentaient à l'archétype. L'Occident tremblait et les considérait sans distinction comme des fanatiques religieux. Mais les djihadistes de grands chemins étaient-ils vraiment tous les pieux séides de Mahomet ? Beaucoup devaient cacher une âme de Tikhon et trouver dans la sainte cause la justification à la prise des armes et au banditisme professionnel.

À cette guerre des marges, des chefs de l'armée régulière comme le poète Denis Davydov ou le général Platov, génies du *rezzou*, stratèges du coup de force, s'illustrèrent dans des actions commando, coupant les isolés du gros de la troupe, détruisant le ravitaillement, houspillant les Français au bivouac. Tolstoï parle d'un détachement commandé par un sacristain, d'un autre placé sous l'autorité d'une femme « qui tua des centaines de Français ». Koutouzov excitait son peuple.

Dans les campagnes, on s'enflammait à ses discours. Le 31 octobre, le feld-maréchal fit une proclamation : « Éteignez les flammes de Moscou dans le sang de vos ennemis. Russes, obéissez à cet ordre solennel. »

Dès lors, pour les soldats français, ni les fourrés ni les bosquets ni les fermes au bout des champs, plus rien ne pouvait tenir lieu de refuge. La moindre roselière abritait peut-être un nid de partisans. De toute part, à tout moment, pouvaient surgir les Cosaques, prêts à balayer, selon Tolstoï, « les feuilles mortes qui se détachaient elles-mêmes de l'arbre desséché ».

Quand les civils et les irréguliers s'en mêlèrent, la guerre gagna en cruauté. Les malheureux soldats, capturés par des paysans, étaient empalés, plongés dans l'eau bouillante, dépecés, enterrés vivants, brûlés vifs, battus à mort ou jetés nus dans les futaies glacées. Un déchaînement de violence enfiévrait la campagne russe. Assoupi depuis des siècles, le vieux peuple n'avait jamais manifesté contre le joug du tsar l'énergie qu'il mettait à châtier l'envahisseur. C'était une constance qui perdure aujourd'hui : ce que le Russe fait subir au Russe ne regarde que le Russe et gare si l'étranger s'en mêle... « La guerre des paysans armés [...] nous fait plus de mal que leur armée. [...] », avoua dans ses rapports un officier des hôpitaux [5].

Sachant Vassili et Vitaly à nos trousses, j'avoue que cette nuit-là, vers Smolensk, je regardais souvent

---

5. Bourbon-Gravierre, ordonnateur de l'hospice civil.

dans mon rétroviseur, des fois qu'une bande de loups humains, hululant des hourras, nous aurait rattrapés à bord de motos fumantes.

À Smolensk, nous descendîmes dans l'ancien hôtel des apparatchiks soviétiques, le *Dniepr*, resté dans son jus. Gardiennes d'étage peroxydées, décoration brejnévienne, lustres des années 1970, tuyauterie issue de l'industrie thermique : nous aimions ces atmosphères de guerre froide. J'avais 40 ans et j'étais nostalgique d'un monde que je n'avais pas connu. Je préférais ces ambiances à celle des hôtels standardisés dont le capitalisme à visage inhumain avait couvert nos centres-villes : ces établissements conçus par des commerciaux qui jugeaient qu'une connexion wi-fi et un climatiseur fixé au-dessus d'une fenêtre verrouillée valaient mieux que la conversation d'une babouchka et qu'une fenêtre ouverte sur un fleuve gelé.

Je pris un bain pendant une heure et demie et en fus presque honteux. Notre voyage avait fini par se muer en un jeu très sérieux. Le devoir de saluer la mémoire des soldats était à ce point chevillé à nos âmes que la moindre dérogation à la règle de la souffrance physique nous paraissait inconvenante.

Un litre de vodka, dans le restaurant de l'hôtel, vint très vite à bout de ces complexes.

« Souvenez-vous les gars, dis-je, que les Grognards firent une prise dans un entrepôt de Wiazma qui valut à la ville le nom de "ville du schnaps !"

— Et, dit Gras, souvenez-vous que, à Ghjat, Napoléon et sa suite découvrirent des caissons abandonnés pleins de Chambertin et de Clos Vougeot.

— Et, dit Goisque, rappelez-vous que l'Empereur fit convoyer des chariots d'eau-de-vie, prélevés sur les réserves de la Garde impériale, vers les troupes de l'arrière. »

Vassili et Vitaly débarquèrent dans le restaurant à 23 heures. L'étape de quatre cents kilomètres, avalée d'une traite par − 12 °C, leur avait donné l'envie d'une soupe. Ils étaient vêtus en motards professionnels. Leurs casques, leurs blousons, leurs bottes, réduisaient notre équipement à des hardes d'amateurs. Nous eûmes l'étrange impression de faire les choses « à la russe », c'est-à-dire tel que nous autres, de l'Occident, imaginions que les Russes les faisaient et nous nous trouvâmes dans cette position d'occuper dans le regard du Russe la place que le Russe occupe habituellement dans le regard de l'Européen : celle d'un rustre approximatif qui compense son impréparation à la vie par une indifférence aux aléas.

Il y eut deux nouveaux verres et une nouvelle bouteille sur le Formica. Des nouveaux toasts, il y en avait toujours.

« Les gars, à nos retrouvailles, dis-je.

— Smolensk est prise, dit Vitaly, selon la formule rituelle.

— Demain, nous prendrons la Biélorussie, dit Vassili.

— Et à votre étape ! dis-je. Vous avez battu le général Hiver.

Pour la première fois depuis que nous le connaissions, Vitaly se rembrunit.

— Le général Hiver n'existe pas. Les Russes viennent tout seuls à bout de leurs ennemis. »

Le soir, en lisant Caulaincourt, je tombai sur ces lignes où le général affirme que c'est le froid qui fut la cause du désastre « et non la fatigue ou les attaques de l'ennemi ». Je me gardai bien d'aller réveiller Vitaly pour lui lire le passage.

Le quatrième jour.
De Smolensk à Borissov.

E N CETTE MATINÉE où un soleil, semblable au plafonnier d'une salle de bains khrouchtchévienne,
se juchait au-dessus des remparts de Smolensk,
notre situation allait connaître une amélioration. Désormais, nous ne roulerions plus à trois sur la même Oural.
Gras resterait dans mon panier, Goisque rejoindrait
celui de Vitaly. Vassili, lui, convoierait les bagages sur sa
monture. Les Russes nous avaient apporté nos sacs et
nous retrouvâmes duvets, collants et lainages que nous
avions négligé d'empiler en partant vers Borodino. Nous
avions commis l'erreur de toutes les armées de l'Ouest
qui s'engagent en Russie en mésestimant le froid.

« Les gars, dis-je, l'ordre du jour ?

– Voir les remparts, dit Vitaly.

– Ce qu'il en reste, dit Vassili, Napoléon a beaucoup
détruit.

– Ensuite, dit Vitaly, la Biélorussie. »

Nous étions excités à l'idée de pénétrer sur le territoire biélorusse. Des quinze républiques de l'ex-
URSS, c'était la seule que je ne connaissais pas – avec

le Turkménistan. Il y avait eu cette visite, avec Goisque, deux années auparavant, chez l'ambassadeur de Biélorussie en France. C'était boulevard Suchet. L'homme était un admirateur de l'Empereur. Il cultivait une moustache très « Empire » et n'aurait pas déparé dans un bataillon de Cosaques. Après nous avoir expliqué que la Biélorussie était réputée dans le monde entier pour sa production de boulons de stations spatiales, il avait entrepris une relecture stratégique de la bataille de la Berezina au terme de laquelle, deux heures plus tard, il s'était exclamé : « Pour vous, en Biélorussie ce sera toujours *Feu vert et tapis rouge* » ! En dépit de quoi, quelques jours plus tard, nous avions reçu la notification d'un refus de visa pour d'obscurs malentendus administratifs. Cette année, nous avions obtenu le précieux blanc-seing et comptions éprouver, les gaz à fond, la doctrine du *Feu vert et tapis rouge*.

Vassili et Vitaly étaient très fiers de leur installation : ils avaient pavoisé leurs engins de drapeaux impériaux russes. L'aigle à deux têtes claquait au-dessus de leurs panières.

« Il faut savoir qui est qui ! » dit Vitaly.

Ô, nous aimions ces Russes. Chez nous, l'opinion commune les méprisait. La presse les tenait, au mieux, pour des brutes à cheveux plats, incapables d'apprécier les mœurs aimables des peuplades du Caucase ou les subtilités de la social-démocratie et, au pire, pour un ramassis de Semi-Asiates aux yeux bleus méritant amplement la brutalité des satrapes sous le joug desquels ils s'alcoolisaient au cognac arménien pendant que leurs femmes rêvaient de tapiner à Nice.

Ils sortaient de soixante-dix ans de joug soviétique. Ils avaient subi dix années d'anarchie eltsinienne. Aujourd'hui, ils se revanchaient du siècle rouge, revenaient à grands pas sur l'échiquier mondial. Ils disaient des choses que nous jugions affreuses : ils étaient fiers de leur histoire, ils se sentaient pousser des idées patriotiques, ils plébiscitaient leur président, souhaitaient résister à l'hégémonie de l'OTAN et opposaient l'idée de l'eurasisme aux effets très sensibles de l'euro-atlantisme. En outre, ils ne pensaient pas que les États-Unis avaient vocation à s'impatroniser dans les marches de l'ex-URSS. Pouah ! Ils étaient devenus infréquentables.

Je côtoyais les Russes depuis le putsch avorté de Guennadi Ianaïev en août 1991. Ils ne m'avaient jamais semblé rongés par l'inquiétude, le calcul, la rancune, ni le doute : vertus de la modernité. Ils me paraissaient des cousins proches, peuplant un ventre géographique bordé à l'est par la Tartarie affreusement ventée et à l'ouest par notre péninsule en crise. Je nourrissais une tendresse pour ces Slaves des plaines et des forêts dont la poignée de main vous broyait à jamais l'envie de leur redire bonjour. Me plaisait leur fatalisme, cette manière de siffler le thé par une après-midi de soleil, leur goût du tragique, leur sens du sacré, leur inaptitude à l'organisation, cette capacité à jeter toutes leurs forces par la fenêtre de l'instant, leur impulsivité épuisante, leur mépris pour l'avenir et pour tout ce qui ressemblait à une programmatique personnelle. Les Russes furent les champions des plans quinquennaux parce qu'ils étaient incapables de prévoir ce qu'ils allaient faire eux-mêmes dans les cinq prochaines minutes. Quand bien même l'auraient-ils su, « ils n'atteignaient jamais leur but parce qu'ils le dépassaient toujours », précisait Madame de Staël. Et puis il y avait leur rugosité de premier abord. Un Russe ne faisait jamais l'effort de vous séduire : « On n'est pas des portiers de *Sheraton* tout de même », semblaient-ils penser en vous claquant la porte au visage. En préalable, ils faisaient la gueule, mais il m'était arrivé de les voir m'offrir leur aide comme si j'avais été leur fils et je préférais ces imprévisibilités-là à celles des êtres qui décampaient au moindre nuage après vous avoir caressé le dos avec des familiarités de chatte.

Est-ce parce que l'Histoire s'était déchaînée sur eux avec la hargne de la houle sur un récif tropical qu'ils avaient développé une vision tragique de la vie, un goût pour la formulation permanente du malheur, une capacité à proclamer sans cesse l'inconvénient d'*être né* ?

Nous autres, latins, nourris de stoïcisme, abreuvés par Montaigne, inspirés par Proust, nous tentions de jouir de ce qui nous advenait, de saisir le bonheur partout où il chatoyait, de le reconnaître quand il surgissait, de le nommer quand l'occasion s'en présentait. Dès que le vent se levait, en somme, nous tentions de vivre. Les Russes, eux, étaient convaincus qu'il fallait avoir préalablement souffert pour apprécier les choses. Le bonheur n'était qu'un interlude dans le jeu tragique de l'existence. Ce que me confiait un mineur du Donbass, dans l'ascenseur qui nous remontait d'un filon de charbon, constituait une parfaite formulation de la « difficulté d'être » chez les Slaves : « Que sais-tu du soleil si tu n'as pas été à la mine ? »

Milan Kundera avait souvent déploré l'absence de rationalité dans la pensée russe. Il répugnait à ce penchant des compatriotes de Dostoïevski à toujours sentimentaliser les choses, à éclabousser la vie de pathos alors même qu'ils se rendaient coupables d'exactions. Et si c'était là la clé du mystère russe ? Une capacité à laisser partout des ruines, puis à les arroser par des torrents de larmes.

Ce voyage était certes une façon de rendre les honneurs aux mânes du sergent Bourgogne et du prince Eugène, mais aussi une occasion de se jeter de nids-de-poule en bistrots avec deux de nos frères de l'Est pour sceller l'amour de la Russie, des routes défoncées et des matins glacés lavant les nuits d'ivresse.

Nous roulâmes jusque sous les fortifications de Smolensk. J'essayais de m'imaginer cette ville assoupie en proie aux flammes, au pillage. Il était difficile de faire abstraction de ces babouchkas revenant du marché en portant leurs cabas et de ces étudiantes bottées de cuir et vêtues de renard qui, en Russie, confondent toujours les trottoirs avec les podiums de la *Fashion Week*.

L'arrivée dans la ville fut une déconvenue pour les soldats de la Grande Armée. Les malheureux en avaient tant rêvé ! Ils avaient pris la ville pour leur terre promise.

La faim avait commencé à les torturer dès les premières semaines de la retraite. Les chevaux, nourris de la paille arrachée aux chaumes des isbas, s'affaiblissaient, ployaient sous les charges puis tombaient. Sans attendre qu'ils fussent morts, les soldats se jetaient sur eux pour les dépecer. On pillait bien les camarades à l'agonie que l'épuisement avait fait trébucher. On se débarrassait des blessés juchés sur les selles en faisant trotter les bêtes. Pourquoi n'aurait-on pas écorché vifs les chevaux ?

Je racontai à Gras ce que j'avais lu la veille dans le récit de Bourgogne. Goisque n'écoutait pas, il essayait de faire entrer le bâtiment de l'hôtel et la vue sur le Dniepr dans son boîtier japonais. Pressés par les Cosaques, n'ayant même pas le temps de faire cuire la viande, les soldats marchaient en plongeant la tête dans des marmites de sang bouilli. On se battait pour une poignée de pommes de terre. Les barbes, les pelisses étaient maculées de rouge. Le froid gelait les carcasses des bêtes. Il fallait alors racler de l'épée les chairs durcies. « Ceux qui n'avaient ni couteau, ni sabre, ni hache et dont les mains étaient gelées ne pouvaient manger. […] J'ai vu des soldats à genoux près des charognes mordre dans cette chair comme des loups affamés », se souvient le capitaine François. Bourgogne lui-même survécut quelques jours en suçant des « glaçons de sang ».

Selon lui, l'état-major entérina officiellement l'idée que seule la viande de cheval pouvait sauver l'armée : « On nous faisait toujours marcher autant que possible derrière la cavalerie [...] afin que nous puissions nous nourrir avec les chevaux qu'ils laissaient en partant ». Ainsi, la prédiction de Koutouzov le Crapaud, sur le champ de bataille de Borodino, se réalisait : « Je m'arrangerai pour que les Français finissent par bouffer du cheval ».

Dans la colonne en fuite, les plus vaillants s'improvisaient maraudeurs. Ils partaient chercher de la nourriture à l'écart de la route. Mais ils risquaient de tomber dans les mains des partisans et de subir un sort plus cruel que les tenaillements de la faim. Quand le cheval vint à manquer, on se mangea les uns les autres. Les témoignages de cannibalisme, d'autophagie même, encombrent les archives, mais gênent leurs rapporteurs qui éludent le tabou. Bourgogne refuse un jour d'accompagner un sous-officier portugais au spectacle de l'entre-dévoration de prisonniers russes. Et cette armée de demi-squelettes, la gueule barbouillée de sang, pillant les camarades tombés au champ d'horreur, soulevant leurs propres haillons pour se ronger les moignons, terrifiés de finir sous la dent de leurs frères, « c'étaient les mêmes, écrit le capitaine François qui, six mois auparavant, faisaient trembler l'Europe ».

La route de Smolensk, encombrée de chariots, de caissons, de canons abandonnés, de cadavres d'hommes et de chevaux offrait un spectacle d'apocalypse.

Même Caulaincourt, connu pour avoir de sacrés nerfs, se laisse aller à un passager effondrement : « Jamais champ de bataille n'a présenté tant d'horreur ».

J'observais Goisque et Gras en train de serrer leurs sacs dans les coffres des machines. Et nous, qu'aurions-nous fait ? À quelle extrémité la faim nous aurait-elle poussés ? Que connaissions-nous de nous-mêmes et des autres, nous, si policés, si urbains, si bien nourris ? Nos relations se limitaient à d'agréables voyages, des soirées arrosées et des conversations de grandes gueules. Désormais, dans l'Occident prospère, c'était de cela que se nourrissaient les amitiés. Une fois cependant, avec Gras, perdus dans les forêts de l'Extrême-Orient, à mille kilomètres au nord de Vladivostok, nous crûmes que la famine allait s'abattre. Mais nous trouvâmes finalement la route et ratâmes – fort heureusement – l'occasion d'éprouver notre sens de l'honneur et du sacrifice. Bourgogne, lui, se désole que la faim emporte les sentiments : « Il n'y avait plus d'amis, l'on se regardait d'un air de méfiance, l'on devenait même ingrat envers ses meilleurs amis ». « Aimez-vous les uns les autres » est une injonction de prophète qui vient de se payer un gueuleton.

Napoléon rentra le 9 novembre dans Smolensk. Les soldats étaient partis cent mille de Moscou. À Smolensk, l'armée était réduite de plus de sa moitié. Et seuls dix mille d'entre eux étaient morts en combattant ! Il restait quarante-cinq mille hommes sur le demi-million qui avait franchi le Niémen six mois plus tôt. Il fallut cinq jours pour que les débris de la Grande Armée se rassemblent en la ville. Les derniers éléments n'y parvinrent que le 13 novembre et Napoléon quitta les lieux le lendemain. Pour tous, la déconvenue fut immense. De l'Empereur à la cantinière, ils avaient fondé des espoirs immenses sur la ville. Là-bas, on trouverait de quoi se ravitailler, des magasins pourvus, des hôpitaux de campagne et des renforts bien frais. Là-bas on pourrait se reprendre, mettre un terme au cauchemar, se retourner contre l'ennemi, renverser la fortune. Là-bas, l'étoile du souverain retrouverait son éclat. Mais Smolensk ne s'était pas remise de sa destruction, trois mois auparavant. L'état des magasins, déplorait Caulaincourt, « n'était malheureusement en rapport ni avec ce que (l'Empereur) espérait ni avec les besoins… ». Les premières troupes mirent à sac le peu de réserves, pillèrent les dépôts, crevèrent les tonneaux, ne laissant aux hommes de l'arrière que les reliquats d'un gâchis que la discipline aurait épargné. Les espoirs de revivifier l'armée s'envolaient, le mouvement devait continuer, comme une malédiction. « Marcher le plus vite possible paraissait à tout le monde le véritable secret pour échapper au danger », résume Caulaincourt. C'était le salut dans la fuite. Et la colonne à l'agonie s'ébranla par la route de l'Ouest, pressée par les Cosaques de mieux en mieux armés, de plus en plus hardis.

Les flics, bien entendu, nous chassèrent des remparts de la ville. Nous formâmes une colonne, Vassili en tête sur son side-car blanc, nous autres au milieu sur l'Oural kaki et Vitaly fermant la marche sur sa moto noire. Nous passâmes le Dniepr et prîmes la direction d'Orcha en Biélorussie.

Un léger redoux avait trempé la route. Tout était fade et tiède. Le monde était un lavis que la fumée des fermes traversait de coulures. Nous marchions droit vers le couchant. Un monument de béton hérissé de drapeaux figurait la frontière entre les deux pays amis. Depuis la chute de l'URSS, la Biélorussie n'avait jamais trahi son allégeance à la Russie. La vassale vivait pépère sous la protection de la maison mère. Pas le genre à reluquer l'UE. Nous n'eûmes pas besoin d'exhiber nos visas à un poste de douane : il n'y en avait pas. Nous rentrâmes en Biélorussie comme une lame de sabre russe dans le gras d'un Ukrainien.

C'était la plaine biélorusse. La Grande Armée y souffrit le martyre. Les Panzers la ravagèrent cent cinquante ans plus tard dans un sens, puis dans l'autre. C'était des champs, des plaines sans fond. En été : la gloire des blés, pas dégoûtés de pousser sur un charnier. En hiver, une étendue de neige sans formes ni contours, avec, à l'horizon, des villages de rondins blottis contre des sapinières.

Les cylindres ronronnaient. Nous tenions une vitesse constante. L'oreille veillait à la sainte frappe des pistons. Le cerveau s'engourdissait. « Le moteur ronronne sans se lasser, préoccupé seulement de ses forces internes », écrit Robert M. Pirsig dans son *Traité du zen et de l'entre-*

tien des motocyclettes [6]. Nous nous tenions immobiles sur la selle dans cette jouissance très particulière, presque mystique, propre au pilotage des motocyclettes. Comme il était bon de demeurer dans la certitude de chevaucher un système en ordre. L'œil était concentré sur la ligne d'horizon. Dans l'angle du champ de vision, les bandes blanches défilaient, hypnotiques.

Au quarantième kilomètre de l'autoroute de Minsk, le générateur de Vassili explosa.

« Cinquante-deux pièces assemblées par mes soins, un prototype ! dit-il.

— Je suis très déçu », dit Vitaly.

La neige se prit à tomber. Le vent se leva. Sur le bas-côté, dans les rafales, les deux Russes désossèrent la moto pendant que je faisais la sieste, couché sur le réservoir, et que Gras, dans son panier, éclaboussé au passage des camions, révisait les *Mémoires* de Caulaincourt. Goisque furetait, l'appareil en bandoulière, ruminant ce vers des *Tapisseries* de Charles Péguy : « C'est ici la contrée imprenable en photo ».

Une heure plus tard, Vassili releva la tête de son puzzle :

« Les gars, je n'arrive pas à trouver l'origine du problème.

---

6. PIRSIG (Robert M.), *Zen and the Art of Motorcycle Maintenance: An Inquiry into Values*, éd. William Morrow & Company, 1974. Réédition Le Seuil, coll. « Points », 1998.

— Qu'est-ce qu'on fait ? dit Gras.

— Remorquage ! »

La sangle était trop courte, le spectacle effroyable. Le side-car de Vitaly, accroché à celui de Vassili, entraîné par l'inertie, se déportait de part et d'autre de la chaussée. À chaque instant, nous nous attendions à ce qu'il verse. Vassili ne semblait pas se rendre compte qu'il allait trop vite. Dans les descentes, Vitaly ajustait son freinage au mètre près pour ne pas emboutir son ami. Le plus terrifiant fut ce moment où, entre deux oscillations qui rendirent très nerveux un camionneur lituanien, Vitaly releva sa visière et, levant le pouce, hurla :

« C'est cool ! »

Il fallut deux heures dans une station-service pour réparer le « prototype » de Vassili.

Puis trois heures pour atteindre Borissov. Le froid ouvrait ses brèches. Parfois, il mordait un pouce, s'emparait d'un pied, le lâchait, attaquait un genou, le cou, la joue. Il avait une vie autonome et ses propres plans.

Sur cette même route, après l'étape de Smolensk, en 1812, le froid descendit encore de quelques degrés. L'armée marchait vers Krasnoïe. Entre l'avant et l'arrière-garde, la colonne s'effilochait sur soixante kilomètres. La topographie apportait aux Russes son concours. Les vallonnements biélorusses, ceux-là mêmes où Vassili et Vitaly manquèrent de s'encoffrer, imposèrent à la Grande Armée une contrainte supplémentaire. Ayant négligé de confectionner des ferrures à glace à Smolensk, les chevaux qui restaient encore en possession des Français glissaient sur la piste. « C'est à ce manque de ferrure qu'il faut attribuer la plus grande partie de nos pertes », dit Caulaincourt. Napoléon arriva le 15 novembre à Krasnoïe avec vingt mille hommes et échappa de peu à l'écrasement. Koutouzov l'y attendait avec quatre-vingt mille soldats. Si le feld-maréchal s'était montré moins timide, l'Empereur français aurait été capturé ou bien serait mort, l'épée à la main. Napoléon, loin de se douter qu'il avait devant lui le gros de l'armée russe, ordonna à sa Jeune Garde d'attaquer ce qu'il prenait pour des feux d'éclaireurs. Les Russes, impressionnés par la charge, en conclurent que la Grande Armée avait encore sa ressource. Et Napoléon poursuivit sa fuite vers Orcha dès le 18 renonçant, malgré lui, à attendre l'arrière-garde du maréchal Ney.

Il fallut à celui-ci des trésors de courage et de ruse pour échapper aux quatre-vingt mille Russes qui bloquaient la route. Ney lança au général qui lui intimait de déposer les armes qu'un « maréchal de France ne se rend pas ». Puis il tira ses derniers boulets, fit diversion, revint vers Smolensk, manœuvra dans la nuit et, au terme de deux jours de marche forcée où les Cosaques le harcelèrent sans répit, il réussit à passer sur la rive droite du Dniepr et à rejoindre Orcha. Des six mille hommes qui avaient quitté Smolensk avec lui, il lui en restait un millier. La nouvelle du coup de force de Ney mit en joie l'Empereur et le détourna pour quelques heures de cette terrible nouvelle : Minsk était aux mains de l'ennemi.

Sans répit, les hommes marchaient sur la piste. Inkovno, Krasny, Orcha passèrent lentement, stèles d'épouvante. Même l'Empereur devait descendre de voiture et marcher appuyé sur le bras de Caulaincourt ou d'un aide de camp. La route était jonchée de chevaux et d'hommes crevés, de civils et de militaires à l'agonie, de caissons, de chariots, de canons de tout ce que l'armée en débandade perdait derrière elle. Ceux qui n'étaient pas morts trébuchaient sur les cadavres de ceux déjà tombés. Et les hommes avançaient, par des plaines à fendre l'être. Le froid avait calciné l'espoir, Dieu n'existait pas, le mercure chutait et ils mettaient encore un pas devant l'autre. Fous de souffrance, décharnés, gelés, mangés de vermine, ils allaient devant eux, des champs couverts de morts vers d'autres champs de linceuls. Chaque pas arraché constituait le salut en même temps que la perte. Ils marchaient et ils étaient maudits.

Comment ces hommes supportèrent-ils cette marche des fous ? Comment quelques-uns d'entre eux survécurent-ils au carnaval de la mort mené tambour battant dans la nuit et le gel ? De quel métal étaient-ils frappés, ces squelettes en shakos qui acclamaient encore celui-là qui prétendait les tirer de l'enfer par le chemin même qui les y avait amenés ? Fallait-il que Napoléon irradiât d'une force galvanique pour que ses hommes ne lui tiennent pas rancune de leur infortune et, mieux !

perdent toute amertume à son apparition ! Pas un soldat n'aurait conçu l'idée d'en vouloir à l'Empereur. Quoi ? disaient-ils. En tenir rigueur à celui qui nous avait conduits en Égypte, en Italie et en Espagne, qui avait soumis le monde et fait trembler les souverains d'Europe, qui avait fait de l'énergie, de la jeunesse et de l'héroïsme les vertus d'un règne. Léon Bloy le martèle dans les pages écrites à la dynamite de *L'Âme de Napoléon* : « Quand ces pauvres gens mouraient en criant : "Vive l'Empereur !", ils croyaient vraiment mourir pour la France et ils ne se trompaient pas ». Et Bloy de s'émouvoir du pauvre grenadier, trouvant la force de s'extasier quand l'Empereur passe à pied au milieu des fantômes de la Vieille Garde, « lui, si grand, lui qui nous fait si fiers ».

Bourgogne n'était pas en reste dans l'affection au chef, mais, au détour d'une page, il livrait une autre clé : « Si nous étions malheureux, mourant de faim et de froid, il nous restait encore quelque chose qui nous soutenait : l'honneur et le courage ». L'honneur et le courage ! Comme ils résonnaient étrangement, ces mots, deux cents années plus tard. Étaient-ils encore en vie, ces mots, dans le monde que nous traversions pleins phares ? Nous fîmes une courte halte sur le bas-côté, il neigeait, la nuit semblait en larmes dans le faisceau des phares. Dieux, me disais-je, en pissant dans le noir, nous autres, pauvres garçons du XXIe siècle, ne sommes-nous pas des nains ? Alanguis dans la mangrove du confort, pouvions-nous comprendre ces spectres de 1812 ?

Pouvions-nous vibrer des mêmes élans, accepter les mêmes sacrifices ? Les comprendre seulement ? Les Trente Glorieuses avaient servi à cela : nous aménager des paradis familiers, des bonheurs domestiques, des jouissances privées. Nous permettre d'avoir *beaucoup* à perdre. Aurions-nous été prêts à abandonner nos Capoue pour forcer le Moujik sous les bulbes ou conquérir les pyramides ?

Et puis, nous étions devenus des *individus*. Et, dans notre monde, l'individu n'acceptait le sacrifice que pour d'autres individus de son choix : les siens, ses proches – quelques amis peut-être. Les seules guerres envisageables consistaient à défendre nos biens. Nous voulions bien combattre, mais pour le salut de nos paliers d'appartement. Nous n'aurions plus surenchéri d'enthousiasme à l'idée de nous sacrifier pour une idée abstraite, supérieure à nous-même, pour un intérêt collectif et – pire – pour l'amour d'un chef.

Il faut dire que le XXe siècle était passé et sa hideur nous tenait en effroi. C'était cela qui nous séparait des Grognards. Nous savions que Verdun et Stalingrad, Buchenwald et Hiroshima avaient déchu l'Homme et nous étions harassés. Désormais, l'évocation de la conquête sonnait comme une absurdité.

La neige redoublait alors que nous approchions de Borissov. J'étais aveuglé. La ligne blanche était mon fil d'Ariane, je la fixais désespérément, au bord du dérapage. Je freinais par réflexe quand les feux rouges d'un camion entraient dans mon champ de vision, manquais à tout moment d'emboutir le side-car de devant. Je pilotais en gestion de crise. Et une voix intérieure me susurrait : « C'est comme cela que tu vis depuis quarante ans, mon pauvre pote ». Un panneau accroché par mes phares à l'entrée d'un pont me fit l'effet d'une décharge électrique : Berezina. Nous passâmes la rivière, sans le moindre incident.

Nous trouvâmes un petit hôtel d'allure soviétique au pied duquel nous alignâmes les trois machines. J'alpaguai Vitaly :

« Mon vieux, le nouveau casque que tu m'as donné à Smolensk ce matin est une horreur ! J'ai roulé les dernières heures sans rien voir.

— Je crois comprendre », dit Vitaly.

Le casque était neuf et j'avais oublié de retirer la pellicule de plastique fumé qui protégeait la visière. J'avais roulé cent kilomètres dans la nuit biélorusse avec un écran devant les yeux.

Chaque soir, il fallait vingt minutes pour ôter nos couches de vêtements. Une fois que nous eûmes transformé la chambre en souk tangérois, on nous indiqua une taverne qui portait le nom de « bivouac de l'Empereur ». La poignée de la porte représentait un bicorne. Une Olga à ongles mauves servait la bière à des routiers dans un décor de chalet. Sur les murs, des cartes de la bataille de la Berezina, un portrait de Koutouzov, une gravure de Napoléon : ici, on cultivait le souvenir. Nous lapâmes des litres de soupe au chou et il fallut marcher longtemps dans les rues de Borissov pour rentrer chez nous. La petite ville nous parut un congélateur charmant, et la Biélorussie un endroit fort vivable. Des gens décents y vivaient lentement, avec application, dans un bien-être modeste et socialiste, pendant que l'Europe en déclin se persuadait qu'ils souffraient le martyre sous le joug d'un satrape perfusé par le Kremlin. Nous nous écroulâmes sur nos lits au lieu de nous jeter dans les feux de bivouac comme le firent des centaines de Grognards qui préféraient la mort dans les braises aux morsures du gel…

Le cinquième jour.
De Borissov à Vilnius.

À 9 HEURES, nous étions au musée de Borissov. Comme dans tous les établissements de l'ex-Empire soviétique, une dizaine de grosses dames en tricots gardaient des pièces vides. Au moins l'épopée napoléonienne avait-elle pourvu des emplois. Le musée regorgeait de drapeaux, d'uniformes, d'armes et de cartes murales striées de flèches rouges. Chaque année dans les labours, les paysans exhumaient des fûts de canon, des boutons et des casques rouillés. Le musée avait fini par refuser les découvertes.

Goisque, qui avait la fibre archéologue, ne pouvait se décoller de la vitrine d'exposition des boulets de canon.

« Tesson, tu te souviens de l'histoire de F. ? »

Notre ami de Rostov-sur-le-Don nous avait raconté son aventure pendant notre dîner à Moscou. Il avait pris l'habitude de sillonner les champs de bataille de l'ex-URSS avec un détecteur à métaux. Un jour, dans les vasières de la Berezina, la sonnerie s'affola. Il écarta les ajoncs, fouit le limon, exhuma un boulet. Il le fit identifier et on lui confirma ce dont il ne doutait pas : c'était une pièce d'artillerie napoléonienne. Il rentra en voiture à l'aéroport de Saint-Pétersbourg avec son trésor de trois kilos et se présenta à l'embarquement, le boulet dans son bagage de cabine. Sans doute pécha-t-il par naïveté. À peine s'était-il avancé au barrage de sécurité : sonneries des portiques, panique des autorités, fouille des sacs, découverte du boulet. Sans daigner expliquer comment on détruit un avion avec un boulet de 1812, les flics lui interdirent de monter à bord. F., attaché à sa découverte, demanda dix minutes de sursis, sortit du terminal de l'aéroport, avisa un arbre sur le parking, jeta un coup d'œil à droite, un autre à gauche et creusa un trou dans la terre d'été où il enterra son trésor. Puis il sauta dans son avion après avoir pris de savants repères dans l'espoir de récupérer son bien un jour ou l'autre. Plusieurs mois après, notre ami von Polier accompagnait à l'aéroport de Saint-Pétersbourg des *businessmen* russes de la plus haute importance pour la survie de ses affaires. Dans la poche de son complet veston, il y avait les instructions de F. et un plan griffonné sur une page de cahier d'écolier : « Deux pas à droite après le parcmètre, troisième bouleau en partant de la barrière ». Von Polier pria ses financiers de l'excuser : « Je vous demande cinq minutes, messieurs ». Il sortit en courant sur le parking, trouva l'arbre au boulet, commença à fouiller. C'était l'hiver, la terre était gelée. Et voilà un type en costume, accroupi sur un parking, occupé à creuser les bas-côtés avec son stylo Mont-Blanc. Le boulet rapporté à Moscou par voie ferrée trônait sur son piano entre une icône de l'anneau d'or et un portrait de Lénine.

Il fallut attendre que Nina, l'historienne de l'établissement, se présentât au musée. Un chien mordit Vassili au mollet dans le jardinet où étaient exposés des canons Pak 40 de 75 mm pris aux Allemands en 1944. Le sang dessina une fleur sur la neige. Pendant le passage de la Berezina par la Grande Armée, le fleuve était rouge de sang.

Nina portait un ensemble d'acrylique bleu des années d'Andropov et de grosses lunettes à cul de bouteille, comme celles d'Hillary Clinton à l'époque de ses études à Yale. Nina était émue que nous ayons fait le déplacement de Moscou sur nos machines. Elle consacra deux heures à des explications d'où il ressortit que Napoléon arriva à Borissov le 25 novembre alors que tous les éléments étaient réunis pour le capturer. Il allait enfin donner dans la nasse. Minsk était aux mains des Russes, le pont de Borissov détruit. Le redoux empêchait de passer sur la glace, Koutouzov pressait les talons de l'Empereur, l'armée de l'amiral Tchigatchev tenait la rive ouest, Wittgenstein avait conquis Vitsberg et s'avançait rive gauche, par le nord. La Grande Armée était dans l'étau.

Koutouzov était tellement persuadé de l'anéantissement des Français, continua Nina, qu'il harangua ainsi ses soldats : « La fin de Napoléon est irrévocablement écrite, c'est ici dans les eaux glacées de la Berezina que ce météore sera désamorcé ». Le piège, ouvert le jour où les Français avaient traversé le Niémen, allait se refermer.

« Enfin ! dit Vassili.

— Pauvre de vous, dit Vitaly en nous regardant.

— Ta gueule, mon vieux, attend la suite.

— Napoléon, dit Nina, usa d'une ultime ruse. Deux jours auparavant, le 23, le général Corbineau avait trouvé par hasard un gué sur la Berezina, à seize kilomètres au nord de Borissov, près du hameau de Stoudianka. Le passage affichait à peine un mètre cinquante de profondeur ! Pour la Grande Armée, c'était inespéré. En apprenant la chose, Napoléon sut qu'il pourrait berner les Russes, leur échapper à nouveau, continuer sa course de "météore" ! »

Nina nous mena dans la salle principale de l'établissement. Des fresques, des gravures, des reproductions de tableaux racontaient la chronologie de ces journées de fièvre.

Le 25 novembre, Napoléon ordonna au général Éblé de construire des ponts de bois à Stoudianka. L'Empereur resta près du chantier toute la journée du lendemain, encourageant les sapeurs. Et, dans l'après-midi du 26, deux ponts enjambaient les cent mètres du cours d'eau. Les quatre cents pontonniers avaient démonté les isbas du petit village russe pour construire leur ouvrage. Ils avaient travaillé sans espoir de survivre. Le séjour dans l'eau leur était fatal : ils mourraient de congestion. Entre-temps, Napoléon avait eu le temps de disposer ses leurres. Dès le 25 au soir, il avait organisé deux faux chantiers de construction : l'un sur les ruines du pont de Borissov et l'autre à douze kilomètres en aval, près du village d'Okhouloda. Tchigatchev, abusé, y envoya le gros de son armée attendre que les Français – qui n'en avaient nulle intention – passent la Berezina. Le 26 au soir, l'amiral Tchigatchev comprit qu'il avait été feinté. Mais ses troupes, épuisées par la marche forcée vers le sud, n'avaient pas la force de remonter sur-le-champ plus de trente kilomètres vers Stoudianka. Et Napoléon, qui n'aimait pas les marins, eut beau jeu de dire : « Messieurs, j'ai trompé l'amiral » !

« Allons voir l'endroit, dit Goisque.

– Quelle rive ? dit Gras.

– La rive ouest, dit Goisque, celle du salut. »

À midi, nous quittâmes Nina. Il y eut dix baisers car chacun de nous l'embrassa sur les joues pendant que les moteurs chauffaient. Nous passâmes le pont de Borissov avant de remonter la rivière vers l'amont par une petite route campagnarde jusqu'au point de passage de la Grande Armée. Goisque, possédé par l'esprit des lieux, répétait :

« On est dans le mythe, les gars, on est dans le mythe. On n'a jamais été autant dans le mythe. »

De l'immense plateau hachuré de forêts, la vue s'étendait sur l'autre rive, loin vers l'Orient. Un vallon sablonneux, strié de strates, coupait le paysage, du nord au sud. Les couches de marne et d'argile feuilletaient le talus alluvial de veines claires. Au fond, la Berezina. C'était un cours d'eau aimable, indécis, dont les méandres avaient les reflets du mercure. Ils étaient figés par le gel et serpentaient entre des îles couvertes de roseaux. Le soleil déchirait les nuages soufflés de neige. Des rayons éclaboussaient les saules poussés sur les bancs de sable. Les bouleaux étaient violets dans la lumière. Les maisons du village semblaient se tenir chaud sur le rebord du talweg. Des corbeaux traversaient le tableau à coups de rames noires. Leur plainte tombait avec la neige. Pour le reste, le monde n'était qu'un beau silence. Nous regardions avidement. C'était le théâtre de l'apocalypse et on aurait cru le Loiret.

La stèle de pierre portait une inscription. « Ici, les soldats de la Grande Armée franchirent la Berezina. » La phrase soldait le cauchemar à petit compte.

L'armée avait franchi la rivière pendant l'après-midi du 26 et la journée du 27. La neige avait repris, masquant les manœuvres des Français. Pour une fois, l'hiver servait la Grande Armée, jetant un écran sur la débandade, aveuglant les troupes russes. Les passerelles de bois, étroites, alourdies de glace, se rompirent sous le poids de la presse humaine et cavalière. Les pontonniers d'Éblé se rejetaient dans l'eau pour consolider les étais. Ceux d'entre eux qui ne mouraient pas hydrocutés risquaient d'être écrasés par les débris de la débâcle contre les chevalets du pont. Leur sacrifice fut le prix du sauvetage.

Napoléon traversa vers la rive droite le matin du 27. Le soir du même jour, trente mille traînards – soldats épuisés, blessés à pied, civils, femmes et enfants – débouchèrent sur la rive de Stoudianka. La nuit se flanqua, la neige cessa de tomber et le froid enserra de nouveau la plaine. Les bosquets des grèves s'illuminèrent alors de centaines de feux de bois près desquels, abrutis de faiblesse, inconscients de l'urgence, les retardataires s'engourdirent au lieu de gagner leur salut en passant au plus vite sur la rive occidentale.

Pendant ce temps, les Russes s'approchaient de Stoudianka. Wittgenstein arriva à l'aube du 28 novembre avec ses quarante mille hommes. Le pont de Borissov avait été reconstruit par les Russes et Koutouzov, lui, était passé rive droite, sur ce même bord où l'armée de Tchitchagov, forte de trente mille soldats, rejoignit à 7 heures les ponts de la Grande Armée. Les forces étaient en place. La bataille de la Berezina s'engagea alors que des dizaines de milliers d'errants n'avaient toujours pas traversé. Napoléon avait espéré en vain que ses propres corps d'armée, chargés de retenir Wittgenstein et Tchitchagov, sur leurs rives respectives, tiendraient jusqu'au soir du 28, permettant à tous les Français de passer. Mais les divisions françaises avaient été submergées.

Quand les boulets russes s'abattirent sur la foule de la rive gauche, ce fut l'épouvante. On se rua sur le passage, les ponts se couvrirent d'une marée humaine. On mourait écrasé, étouffé. On glissait, on tombait, on tâchait de reprendre pied sur les passerelles pour finir dans le courant, noyé. La rivière était un collecteur de cadavres d'hommes et de chevaux, de débris de voiture mêlés aux glaçons. Ceux qui étaient parvenus à maintenir l'équilibre couraient sur un tapis de corps. L'accès et le débouché des passerelles étaient obstrués par l'amoncellement des cadavres. Au débouché du pont, la fange des marécages était défendue par un rempart de corps morts dans lequel s'ouvrait la tranchée du passage. Sur la rive gauche, l'artillerie russe continuait à semer la désolation. Un premier pont se rompit et la Berezina engloutit « les victimes qu'immola la barbarie des Russes », dit Caulaincourt. Même le sergent Bourgogne, qui en avait tant vu et qui était « habitué à coucher au milieu de la compagnie des cadavres », même lui, le pauvre grenadier vélite, revenu de tout, même lui dont la plume se trempait dans le sang-froid, craqua : « Je ne pus en voir davantage, c'était au-dessus de mes forces ».

Le 29, au matin, on gagna encore un degré dans l'épouvante lorsque Napoléon ordonna à Éblé de détruire ses ouvrages. Le maréchal Victor, qui formait l'arrière-garde française, était passé la veille et les dernières pièces d'artillerie avaient été convoyées dans la nuit. En cette aube du 29, il fallait couper aux Russes le passage de la Berezina. Quand les flammes s'élevèrent, ce fut une ultime ruée. Les hurlements recouvrirent la canonnade. Ceux qui étaient encore sur l'autre rive se jetèrent dans le brasier ou dans l'eau. Ils avaient, pour périr, le choix entre les deux éléments contraires.

Le spectacle de cette vallée nous aimantait. Nous restions sous la neige et aucun de nous n'osait faire un pas. Des paysans haranguaient un cheval sur un chemin tout proche. Ils passèrent à notre hauteur, assis sur une carriole. La neige embellissait l'orée des forêts et atténuait le tintement des grelots. Le cheval donnait un air antique au paysage. L'attelage disparut dans le grésil. Gras me toucha le bras :

« Ici, c'est un haut lieu, vois-tu.

— Qu'est-ce qu'un haut lieu ? lui dis-je.

— Un haut lieu, dit-il, c'est un arpent de géographie fécondé par les larmes de l'Histoire, un morceau de territoire sacralisé par une geste, maudit par une tragédie, un terrain qui, par-delà les siècles, continue d'irradier l'écho des souffrances tues ou des gloires passées. C'est un paysage béni par les larmes et le sang. Tu te tiens devant et, soudain, tu éprouves une présence, un surgissement, la manifestation d'un je-ne-sais-quoi. C'est l'écho de l'Histoire, le rayonnement fossile d'un événement qui sourd du sol, comme une onde. Ici, il y a eu une telle intensité de tragédie en un si court épisode de temps que la géographie ne s'en est pas remise. Les arbres ont repoussé, mais la Terre, elle, continue à souffrir. Quand elle boit trop de sang, elle devient un haut lieu. Alors, il faut la regarder en silence car les fantômes la hantent. »

Même Goisque avait cessé de prendre le monde en photo. Les champs de neige étaient mouchetés de monuments à la mémoire des deux armées. Une stèle portait le nom d'un homme dont la charité nous oblige à taire qu'il s'appelait F. B. Il était le commanditaire du monument – le financier peut-être – et avait pris soin de le faire savoir. Pourquoi ne pas avoir dressé une pierre commémorative frappée de cette phrase : « Là où j'ai posé cette plaque, Napoléon est passé avec toute son armée » ?

Le monument me fit penser à cette journaliste de télévision, à qui j'annonçais en direct, quelques mois plus tôt, mon désir de reprendre l'itinéraire de la Retraite et de passer la Berezina :

« Napoléon ? La Berezina ? Tout cela n'est pas très glorieux », commenta-t-elle.

Là, devant la rivière tombale, les mots que j'aurais dû lui jeter me vinrent aux lèvres. Mais j'avais été encore une fois victime de l'esprit d'escalier.

« Vraiment, chère amie ? Pas de gloire chez les pontonniers qui acceptèrent la mort pour que passent leurs camarades ; chez Éblé, le général aux cheveux gris, qui, sous la canonnade, traversa plusieurs fois le pont pour rendre compte à l'Empereur de l'avancée du sauvetage et mourut d'épuisement quelques jours plus tard ? Pas de gloire chez Larrey, le chirurgien en chef qui fit d'innombrables allers-retours d'une rive à l'autre pour sauver son matériel opératoire, chez Bourgogne qui donna sa peau d'ours à un soldat grelottant, chez ces hommes du Génie qui jetaient des cordes aux malheureux tombés à l'eau, chez ces femmes dont Bourgogne écrit qu'"elles faisaient honte à certains hommes, supportant avec un courage admirable toutes les peines et les privations auxquelles elles étaient assujetties" ? Et chez cet Empereur qui sauva quarante mille de ses hommes et dont les Russes juraient trois jours auparavant qu'il n'avait pas une chance sur un million de leur échapper ? Qu'est-ce que la gloire pour vous, madame, sinon la conjuration de l'horreur par les hauts faits ? »

Au lieu de cela, j'avais bredouillé :

« Oui, euh, mais tout de même. »

La suite du chemin, vers la Lituanie, était un enchantement. Parfois, nous glissions à travers des futaies de crème. Soudain, la route pénétrait des forêts-citadelles en de longs percements et les pins levaient des murailles de bronze, à peine blanchies de plaques éparses. Une procession elfique aurait traversé devant nos roues que nous en aurions été à peine étonnés. Goisque et moi alternions entre le guidon et le panier. Dans le cercueil de zinc du side-car, on avait tout loisir de méditer. Ou plutôt de rêvasser. Je me souviens de l'alpiniste Reinhold Messner pendant sa traversée de l'Antarctique. Tirant sa *pulka*, il avouait s'abîmer des heures durant dans des fantasmes érotiques. Par grand froid, on ne peut empêcher la pensée de cingler vers le souvenir des chairs chaudes. Nous roulions vers Smorgoni et tâchions d'abattre le plus de chemin possible avant la nuit. Devant mes yeux dansaient des ventres grassouillets, des danseuses moldaves et des cuisses bien roses.

« Tu penses à quoi, Tesson ?

— Aux hauts lieux », dis-je.

La théorie de Gras sur les hauts lieux était plaisante. Entre les villages de Pleshnitzy et de Viliejka, comme j'avais une heure à tuer allongé dans ma chambre froide à roulette, je tentais d'imaginer une typologie des hauts lieux et en identifiais six sortes :

Les hauts lieux de la tragédie : ils avaient été le décor de batailles. Le murmure de l'Histoire y résonnait comme un écho. Pour moi, ces hauts lieux-là avaient pour nom Confrécourt, dans les labours du Soissonnais, Massada et Stalingrad.

Les hauts lieux spirituels : c'étaient des endroits barrésiens « où souffle l'esprit, des lieux qui tirent l'âme de sa léthargie », des stèles où la Terre touchait le Ciel, se *consacraient* comme disaient les mages. Les dieux y rôdaient. Les anciens Grecs érigeaient un temple dans ces décors du mythe. Pour moi, ces endroits-là étaient les hauteurs de Lhassa où la ville se dévoilait comme une coulée d'or au fond de la batée, le Ménez-Hom qui verrouillait la pointe tricuspide de la presqu'île de Crozon, le sommet des Drus où veillait une vierge sujette aux coups de foudre.

Les hauts lieux géographiques : ceux-là n'avaient pas besoin du secours des Hommes. Leur architecture naturelle, leur beauté formelle parlaient pour eux. Pour moi, ces hauts lieux-là étaient le lac Manasarovar, miroir du Kailash, les sources du Syr-Daria dans les hauteurs des monts Célestes, la falaise du Tchink sur les bords de l'Aral.

Les hauts lieux du souvenir : c'étaient les tombeaux de nos amis ou de nos héros. On se tenait à l'endroit exact où ils avaient trouvé la mort. Pour moi, ces hauts lieux-là étaient le bas-côté d'une route afghane où expirèrent dans mes bras de bons camarades, l'immeuble d'un quai de Seine où un philosophe juif à la voix exaltée vécut ses derniers jours, les labours de Villeroy où Péguy fut tué d'une balle dans la tête.

Les hauts lieux de la création : ce n'étaient pas des endroits spectaculaires, mais des jardins, des maisons, des ruines même. Là, à l'ombre des arbres, dans le silence d'un bureau, des artistes avaient composé des œuvres éternelles. Pour moi, ces hauts lieux-là étaient les murs de la bastide de Nicolas de Staël, les salles silencieuses de l'appartement d'Anna Akhmatova à Saint-Pétersbourg ou les cafés de la Huchette où rôdait l'ombre d'Huysmans et de Jean Follain.

Les hauts lieux héraclitéens : c'étaient des endroits de contraste physique. Des lieux pour le vieux mage éphésien. Il croyait que « toute chose naît de la discorde », et que toute « contrariété était avantageuse ». En termes géographiques, il fallait des endroits où les éléments s'épousent, où l'eau rencontre la roche, où la lumière féconde la mer, où le vent siffle dans les arbres. Les parois des Calanques de Cassis appartenaient à ces hauts lieux-là.

Le froid était mordant et nous étions trempés. Et Gras, dans son panier, commençait à trouver le temps long. Dans la station-service de Pleshnitzy où nous gavions les réservoirs d'une essence à soixante-douze octanes, il se prit à râler :

« Les mecs, on m'avait vendu une partie de plaisir dans un side-car confortable où j'étais censé pouvoir lire et écrire.

— Tu te plains ? dis-je.

— Tu deviens précieux ? dit Goisque.

— Foutez-moi la paix », dit Gras.

Après le passage de la Berezina, Napoléon pouvait s'estimer heureux, il avait échappé à l'anéantissement, sauvé sa propre peau, ses maréchaux et ce qui pouvait l'être de son armée, réduite à deux mille officiers, à moins de vingt mille hommes et à quarante mille suiveurs hors d'état de combattre. « Vous voyez comment on passe à la barbe de l'ennemi », répétait-il aux siens.

D'un point de vue strictement comptable, comme à Borodino, les Russes avaient perdu davantage d'hommes que les Français.

D'un point de vue tactique, Napoléon avait berné l'ennemi. La feinte était une gifle, un insolent désaveu. Il soulignait les insuffisances du commandement russe. Si Koutouzov et Tchitchagov avaient lanterné à lancer leurs assauts, c'est qu'ils craignaient encore le roi prolétaire. Aucun d'eux ne voulait s'opposer frontalement à lui. Napoléon continuait à avancer auréolé de

« ce capital amassé depuis de longues années », comme l'écrit von Clausewitz. Les Russes voyaient toujours dans cet homme aux abois, réduit à marcher en s'appuyant sur un bâton, le souverain invaincu. La force de Napoléon tenait dans sa réputation. Ses gloires passées formaient caparaçon.

D'un point de vue humain, les soldats de l'Empire avaient produit des efforts surnaturels. La Grande Armée exsangue s'était payé le luxe d'une victoire. La mémoire collective française, pourtant, ne retint que l'horreur du carnage. Le nom de ce cours d'eau insignifiant pour la géographie passa dans l'Histoire et dans le langage courant pour signifier ce que l'on sait. Si l'on se conformait à la pure réalité des faits, « c'est la bérézina » aurait dû signifier « on l'a échappé belle, les gars, on l'a senti passer, on a laissé des plumes, mais la vie continue et merde à la reine d'Angleterre ».

Le calvaire de l'Empereur, escorté de ses spectres, se poursuivit vers Vilnius, par Zembin, Pleshnitzy et Ilya. Une arrière-garde de trois mille hommes fut constituée sous le commandement de Ney. « Deux ou trois jours plus tard, écrit Labaume, elle était tellement réduite qu'on se demandait où était l'arrière-garde, lors même qu'on se trouvait avec elle. » Koutouzov talonnait toujours les Français. Et les Français continuaient de fondre comme beurre au soleil. La honte d'avoir laissé filer l'ennemi de la souricière de la Berezina piquait l'orgueil russe. Les Cosaques de Platov, « fatigués de tuer », comme le dit Caulaincourt, harcelaient les traînards qu'ils dépouillaient avant de les laisser mourir à poil dans les futaies. Les forêts défilaient, les marécages passaient, lardés de ruisseaux gelés. Un jour, la Grande Armée s'engagea sur un système de passerelles de bois qui traversait des fondrières. Caulaincourt s'étonna du manque d'initiative de l'ennemi : « Six Cosaques avec des torches eussent suffi pour nous ôter ce moyen de retraite ». Les hésitations de Koutouzov, les erreurs de Tchitchagov, la lenteur de Wittgenstein : il semblait que les Russes mettaient des trésors d'incompétence au service de Napoléon. Les Français pouvaient brûler des cierges à leur ennemi.

Ils n'avaient pas fini de descendre aux enfers. Et l'enfer, pour eux, était pavé de glace. Leur restait à subir les plus grands froids de la campagne. Pendant que, sur le side-car, le vent et la neige nous martyrisaient, je pensais à ces soldats errant par − 30 °C. Les nuées de corbeaux couronnaient leur troupe. Des chiens à moitié sauvages se disputaient les cadavres, s'enhardissaient à mesure que les hommes s'exténuaient. Le mercure chutait toujours en ce début de décembre 1812.

Un jour, avec Goisque, nous avions séjourné en Iakoutie au mois de janvier pour éprouver les températures extrêmes. Respirer constituait une épreuve, les particules de glace attaquaient les muqueuses. Nous avions connu une soirée à − 48 °C et les types nous avaient dit : « Encore un peu et les pneus vont devenir carrés ». J'avais gardé de ces journées un souvenir de lutte permanente contre le froid qui nous laissait épuisés au soir venu. Et, pourtant, nous, nous dormions chaque nuit, bien nourris et abreuvés de thé dans une pièce chauffée !

Le froid tua les plus faibles et rendit fous les autres. Les membres cassaient comme du verre. Quelques soldats s'enveloppaient les pieds « avec la peau de chevaux fraîchement écorchés », écrit Labaume. Les feux de bivouac jalonnant la route étaient une tentation. Caulaincourt le savait : « Dès que ces malheureux s'assoupissaient, ils étaient morts ». Se croyant sauvés après le passage de la Berezina, ils avaient pourtant tous retrouvé un peu d'espoir. Ce fut pour tomber comme des mouches sur la route de Vilnius. Je me souvenais de ces témoignages et me disais que l'espoir est une atroce imposture, une attente qui vous fait souffrir un peu plus de la déconvenue. La seule chose que n'avaient pas à redouter les marcheurs était de se perdre : « La quantité d'hommes qui tombaient pour ne plus se relever pouvait servir de guide », écrivait Bourgogne. Comme il dut regretter d'avoir donné sa peau d'ours sur les bords de la Berezina.

Le 3 décembre, à Molodetchno, l'Empereur rédigea le *29ᵉ bulletin*, destiné aux sujets français. Le texte est passé à la postérité. Napoléon y avouait le cataclysme à renfort d'euphémismes. Il insistait sur le comportement glorieux de Ney, les mérites de ses soldats, l'anéantissement de sa cavalerie, l'indifférence joyeuse des meilleurs éléments de son armée face à l'adversité et la vilenie des Cosaques, « cette méprisable cavalerie, qui ne fait que du bruit et n'est pas capable d'enfoncer une compagnie de voltigeurs ». Le bulletin se terminait par ces mots : « Jamais la santé de l'Empereur n'a été aussi bonne » que les détracteurs de Napoléon prirent pour une manifestation de folie égotique sans voir que l'Empereur confondait son corps avec celui de la France.

Nous gagnions les kilomètres vers la Lituanie. La nuit était tombée. Le pilotage constituait à éviter de se laisser éblouir par les camions qui nous croisaient. Intrigués par la faiblesse de nos feux, ils allumaient leurs pleins phares. Goisque pila, dérapa et cala, manquant de se faire percuter par le side-car de Vitaly qui nous serrait de près.

« Qu'est-ce que tu fous, mon vieux, putain de bite ?

— Le panneau, bande d'aveugles ! dit Goisque. On est à Smorgoni ! À Smorgoni ! »

Le 5 décembre, Napoléon arrivait à Smorgoni avec son état-major. L'avant-veille, il avait dit à Caulaincourt : « Dans l'état actuel des choses, je ne puis en imposer à l'Europe que du palais des Tuileries ». Cela signifiait qu'il avait arrêté sa décision de rentrer à Paris, laissant derrière lui les débris de son armée. L'idée avait germé depuis ce jour où, peu après l'étape de Dorogobouj, au début du mois de novembre, il avait appris le coup d'État de Malet. Cet obscur général, interné pour maladie mentale, était sorti de sa maison de repos parisienne et avait tenté de renverser l'Empire le 22 octobre. Le putsch avait échoué, mais la nouvelle avait autant secoué l'Empereur que l'annonce des pertes du jour contre les Russes. Voilà que, harcelé par l'armée de Koutouzov, il se trouvait en plus menacé au cœur de son pouvoir. À Caulaincourt, il avait jeté : « Avec les Français, il faut, comme avec les femmes, ne pas faire de trop longues absences ». De ce moment-là, il s'était juré de regagner la France le plus promptement possible pour reprendre l'Empire en main.

Sous la neige, en pleine nuit, il fallut obéir à Goisque qui avait décidé de mitrailler le panneau de Smorgoni avec les trois side-cars alignés au pied. Le flash projetait ses éclairs absurdes sur les rideaux de flocons.

Ici, à quelques marches de Vilnius, Napoléon jugea le moment propice. Laissant l'armée dans les mains de Murat (« à vous, roi de Naples », avait-il jeté en manière de passation de commandement), il partit à 22 heures, dans une dormeuse attelée à six chevaux. Il emmenait Caulaincourt à ses côtés, escorté par un détachement de la Garde qui se dissolvait au long des verstes. Ensemble, à fond de train, ils allaient rentrer à Paris par la Pologne et l'Allemagne, abattant les étapes comme des enragés, écrivant les pages d'un des plus étranges voyages de l'Histoire doublé d'une séance de confidences intimes menée par − 20 °C dans les laies forestières. Désormais, il ne s'agissait plus de sauver l'armée, mais de reprendre les rênes de l'Empire, lâchées depuis six mois.

Nous atteignîmes la frontière à 20 heures. Une queue de camions s'étirait jusqu'au poste de douane.

Le premier routier que nous interrogeâmes – un Roumain – nous expliqua l'affaire :

« Les salauds sont en grève. Hier, la police a jeté des douaniers corrompus en taule et les autres ont fermé les guichets en signe de protestation.

– Ça fait combien de jours ?

– Deux.

– Combien de bornes la queue ? demanda Vassili.

– Dix-huit kilomètres et six cents camions », répondit le Roumain.

Nous remontâmes la file, à 80 km/heure, sur la bande d'arrêt d'urgence, frôlant les camions et priant les dieux frontaliers qu'une porte ne s'ouvre pas sur notre passage, ce qui aurait tout abrégé. Que raconta Vassili à la factionnaire biélorusse magistralement sanglée dans un uniforme kaki ? Elle jeta un regard de mépris sur notre compagnie. Les douaniers biélorusses avaient-ils reçu la consigne de ne pas empêcher les machines Oural de débarrasser le plancher du pays ? En trois minutes, nous étions de l'autre côté, en Union européenne, sur la terre lituanienne, séparés de Vilnius par cinquante kilomètres d'un goudron dont le velouté arracha cette réflexion à Vitaly : « C'est drôle, aussitôt en Union européenne et il y a moins de boue ! » Dans le centre-ville, tout indiquait que le pays avait multiplié les efforts depuis vingt ans pour rejoindre les standards de l'UE. Les magasins achalandés et les avenues pimpantes, les décorations de Noël, les voitures allemandes et ces gens sapés *cool* sur des trottoirs déneigés contrastaient avec l'atmosphère de chantier, l'architecture d'usine, l'esthétique sidérurgique et les populations dépressives des villes de l'ex-URSS. Dans une brasserie aux normes bruxelloises – serveuses à piercings, sushis et *world music* –, Vitaly poursuivit ses théories : « Avant, la Lituanie était dans notre Empire, à présent, dans votre Union ». Il nous semblait être sorti de la nuit martyre et des bois de l'enfer pour donner tête baissée dans la cantine du personnel de Disneyland. Nous regardions autour de nous ces gens aimables et roses, attendant le vendredi pour clore une semaine à la banque par un week-end de loisir.

Nous avions eu si froid ces dernières heures, depuis la Berezina, que nous entreprîmes de nous réchauffer à la vodka au poivre. La première bouteille à la mémoire des Français, la seconde à la mémoire des Russes et quelques verres supplémentaires pour les supplétifs polonais, anglais et allemands des deux Empires. Et, si nous nous couchâmes ce soir-là à des heures pas trop indues, c'est parce que nous avions pris des manières de soudards et que le *manager* du troquet nous mit dehors après que, entre deux beuglements, nous eûmes foutu le feu à la nappe en renversant les bougies sur la table.

Le sixième jour.
De Vilnius à Augustów.

C E MATIN, conseil de guerre devant deux litres de café noir censé dissoudre le bois de nos gueules. Gras devait nous quitter et nous étions bien tristes. Nous appréciions sa manière de lire les *Mémoires* de Labaume ou de François, dans la panière de l'Oural, indifférent au froid, comme s'il était installé dans un fauteuil club de la Société de géographie de Saint-Pétersbourg. Ses obligations l'attendaient à Donetsk. L'Ukraine n'avait pas encore explosé sous l'impulsion des démocrates et des nouveaux philosophes. Il sauta dans le Vilnius-Kiev du matin après nous avoir tiré l'oreille.

« Qu'est-ce qu'on fait, les gars ? dit Goisque.

— Soit on suit la route de la retraite vers le Niémen et Kœnigsmark, soit celle de l'Empereur, jusqu'à Paris, par Varsovie, dis-je.

— Vous ne trouvez pas, tout de même, qu'il charrie, votre "roi corse", d'avoir abandonné ses hommes ? dit Vitaly.

— C'est plus compliqué que cela, dis-je.

— C'est toujours ce que l'on dit quand on est gêné aux entournures. »

Le secret du départ de Smorgoni avait été bien gardé. Quand les soldats apprirent que l'Empereur les avait quittés, la consternation fut générale. Le soleil s'était retiré de leur ciel. La stupeur se mua-t-elle en réprobation ? Labaume parle de « l'indignation légitime » des hommes. Mais Bourgogne, lui, ne sembla pas tenir rigueur à son chef. Peut-être les hommes étaient-ils trop occupés à trouver une charogne à ronger pour se perdre en malédictions. Quand on cherche à échapper à la mort, a-t-on encore l'énergie de vouer quelqu'un aux gémonies ?

Napoléon d'ailleurs est-il à désavouer ? Le rôle d'un amiral n'est-il pas de s'occuper aux destinées de sa flotte plutôt que de périr dans le naufrage de l'un de ses navires ? C'était ce que j'essayai d'exprimer en russe à Vitaly.

L'Empereur était le ciment qui maintenait les débris de l'armée. Son magnétisme obligeait les officiers. Son énergie galvanisait les soldats. La certitude de sa présence, même invisible, insufflait à chacun le désir de se tenir debout pour s'acquérir un peu de la gloire générale. Une fois le souverain parti, tout pouvait se débander. Et tout se débanda. Et Murat ne put rien contre la déréliction. L'armée se traînait, aimantée par la perspective de Vilnius. Comme au temps de Smolensk, quelques semaines plus tôt, les débris humains avaient besoin d'un mirage. Et, comme Smolensk, Vilnius fut loin des attentes.

Ce fut une horde de squelettes vivants qui se pressa aux portes de Vilnius le 8 décembre. Quarante mille hommes affamés fondaient sur une bourgade assoupie qui ignorait tout de la débâcle. Les bourgeois, voyant arriver ces torrents de possédés couverts de peaux de bêtes, firent ce que font les bourgeois quand ils sont menacés : ils fermèrent les portes de la ville.

La marée de zombies se fracassa contre les remparts. « Cette confusion me rappela la Berezina », écrivit Labaume. Le maréchal Davout dut escalader une échelle pour entrer dans la ville par des jardins dérobés. La meute finit par forcer les portes et pénétrer dans la place, mais c'était pour n'y trouver aucun secours. L'absence de commandement empêcha la répartition des réserves qui étaient pourtant suffisantes à nourrir une armée. Des agents trop zélés refusèrent de procéder à des distributions d'urgence, exigeant des « bons de distribution » de la part des malheureux qui leur imploraient un quignon. Imagine-t-on l'agonisant qui parvient au seuil de son salut et se voit refuser le secours par celui-là même qui devrait lui pourvoir ? Ces trésors de pain et de viande tombèrent quarante-huit heures plus tard dans les mains des Russes.

Les soldats rabroués errèrent par les rues de la ville, ne pensèrent plus qu'à glaner chaleur et pitance au gré d'une bonne fortune. Ils revenaient des extrémités de la vie et on leur refusait de rentrer dans les maisons d'où s'exhalait l'odeur du pain chaud. Les habitants s'étaient barricadés. Et la mort préleva encore un tribut de soldats sur les trottoirs où le vent chassait un air à − 20 °C. Si Vilnius échappa à un pillage total c'est parce que les hommes n'en avaient plus la force. L'aveu de Berthier dans son bulletin de l'aube du 9 novembre tomba comme une oraison funèbre : « Sire, je dois vous dire la vérité, l'armée est dans une débandade complète ».

Dès le 9, une avant-garde cosaque s'approcha de la ville. Le gros des troupes de Koutouzov suivait, à deux ou trois jours de marche. Le prince Murat, inquiet de s'assurer une voie de sortie, s'enfuit de la ville, dans la soirée, plein ouest, vers Kaunas. Et la Grande Armée évacua la ville dans l'obscurité. Le 10, à peine l'arrière-garde de Ney échappée de Vilnius, les Cosaques galopaient dans la capitale en hurlant leurs hourras.

Quand Koutouzov pénétra à Vilnius le 12 décembre, il avait rempli sa mission : chasser l'hydre du territoire russe. Les portes de la cité étaient celles d'un caveau. Une odeur putride enveloppait la ville. Vingt mille traînards de la Grande Armée n'avaient pas eu la force de quitter les lieux et attendaient la mort, rudoyés par les Cosaques, torturés par le froid. Dans le monastère de Saint-Basile, près de huit mille morts étaient entassés dans les couloirs. Les fenêtres étaient bouchées par des empilements de cadavres. Se souvenant d'avoir « vu un groupe de quatre hommes, les mains et les jambes gelées, mais l'esprit encore vif, et deux chiens qui leur dévoraient les pieds », le général anglais Robert Thomas

Wilson, conseiller de Koutouzov, lâcha : « Les morts doivent être enviés ».

Malgré les médailles cliquetant à son torse trop large, Koutouzov n'avait pas de quoi pavoiser. Il pouvait certes s'attribuer la fuite de Napoléon, mais il avait décimé ses propres troupes. L'hiver, la vermine et la faim n'avaient point fait de distinction de nationalité et taillé chez les Russes à mêmes coups de faux que dans les rangs français. Il avait perdu les deux tiers de ses hommes depuis Moscou. À Vilnius, il lui restait trente mille soldats contre les cent mille avec lesquels il était parti.

Pour les Français, l'hécatombe de Vilnius eut d'autres origines que la fatigue, la famine et le froid. Les Cosaques ignoraient qu'ils avaient des alliés en la personne des poux. En août 2001, dans le quartier de Šiaurės miestelis, à Vilnius, des ouvriers lituaniens mirent au jour une « sépulture de catastrophe » contenant des centaines de soldats français. Les scientifiques d'une commission de fouille franco-lituanienne identifièrent sur les cadavres la trace d'une bactérie qui, en plus de porter un nom à consonance polonaise – *rickettsia prowazecki* –, était l'agent de transmission du typhus. Des milliers de soldats avaient ainsi survécu au sabre cosaque et aux chutes du mercure pour succomber à la fièvre. Le Premier Empire se découvrait un nouvel ennemi : la vermine.

« Vous vous rendez compte, dit Vitaly, l'armée des poux !

— Les Russes en ont eu de l'aide dans cette guerre, dis-je.

— Allons à Antakalnis, dit Goisque, c'est là qu'ils ont inhumé les corps des Français. »

Le cimetière d'Antakalnis occupe un coteau au nord-est de Vilnius non loin des rives de la Néris. Nous y fûmes à midi et coupâmes les gaz devant le muret d'entrée. Deux clochards crapotaient sur un banc. Nos regards étaient distordus. Sous la neige, avec leurs faces bouffies, leurs haillons, leurs têtes enturbannées de laine, et leurs cheveux filasse, ils semblaient sortir d'une gravure du XIXe, genre « voltigeurs de l'armée pendant la débâcle ». Ils nous proposèrent de garder les machines.

« Vous allez voir les Français ? dirent-ils.

— Comment le savez-vous ? dis-je.

— Des mecs en Oural, c'est forcément pour aller à la fosse française.

— Ah ?

— Trois litai et on garde les motos.

— Trois litai pour les trois ? dit Vitaly.

— Trois litai par moto, dirent-ils.

— Elles valent moins », dit Vitaly.

J'aurais bien aimé reposer dans ce cimetière. Les tombes de pierre s'élevaient dans un sous-bois de résineux. La mousse adoucissait les angles. Des sculptures d'anges néogothiques se penchaient tendrement sur le repos des défunts. Il y avait dans ce sous-bois quelque chose de l'abandon des cimetières britanniques. Vitaly déambulait entre les sections, le bicorne sur la tête. La neige abattait son silence sur les allées. Les cyprès étaient des cierges noirs. Nous marchâmes longtemps, cherchant le carré de 1812. Nous fîmes la revue des Polonais martyrs, des Allemands de la Première Guerre mondiale, du monument de béton levé aux héros de l'Armée rouge. Nous découvrîmes les stèles des victimes de janvier 1991. J'avais oublié l'affaire, Vitaly me rafraîchit. Gorbatchev, encouragé par le brevet de libéralité unanimement décerné par les leaders d'Occident, avait réprimé dans le sang des manifestations de jeunes Lituaniens antisocialistes. Le cimetière disait ceci : la Lituanie, comme la Pologne, était un pays qui avait traversé le XXe siècle dans la pire position géographique qu'on puisse occuper, entre l'Allemagne et la Russie. Autant laisser sa main dans l'étau.

Au bout d'une longue descente, il y avait le carré de nos fantômes à nous. Et une plaque :

« Ici reposent les restes des soldats des Vingt Nations qui composaient la Grande Armée de l'Empereur Napoléon Ier morts à Vilnius au retour de la campagne de Russie en décembre 1812 ».

Les soldats oubliés du charnier de Šiaurės miestelis avaient été inhumés dans le cimetière en 2003. Pour la première fois, nous abordions un lieu tangible de la Retraite, un espace qui n'était point seulement un *décor* du souvenir ou un *théâtre* historique. Il y avait sous cette neige les ossements des hommes dont nous suivions la trace depuis Moscou. Nous cessions de courir après les spectres. Nous nous tenions devant leurs restes.

« Les gars, dit Vitaly, je comprends que vous soyez émus, mais *davaï*. »

Ce matin, nous étions finalement tombés d'accord sur la suite des événements. Nous allions suivre les traces de l'échappée de Napoléon et de Caulaincourt en traîneau, plutôt que celles des derniers jours de l'armée agonisante. L'itinéraire de la dormeuse passait par Varsovie et Erfurt et nous mènerait à Paris par la Westphalie. Le cheminement promettait la traversée d'une géographie hautement napoléonienne. Nous allions vivre encore dans le souvenir impérial.

Le destin réservait une dernière épreuve aux fuyards. Une fois Vilnius évacuée, l'armée devait rejoindre Kaunas, à cent kilomètres à l'ouest. Dans l'escarpement de Ponary, au sortir de la capitale lituanienne, la pente glacée porta le coup de grâce. « Ce fut là le moment de la perte définitive de toute l'artillerie, des fourgons et des bagages [...] », écrit Berthier dans sa dépêche à l'Empereur. Les soldats ne parvenaient pas à hisser les voitures par-dessus l'éminence. Le froid titrait toujours – 20 °C. Les chevaux étaient des carnes étiques, incapables du moindre coup de collier. L'encombrement du matériel et la cohue humaine bouchèrent le passage. Il fallait pourtant sauver le principal : le trésor impérial. Les officiers réquisitionnèrent quelques haridelles de la cavalerie pour le sauver, mais les voitures furent immobilisées par le fatras de caissons mêlés aux cadavres. On eut l'idée de confier les sacs d'or aux soldats pour acheminer le trésor à pied. L'opération vira au pillage. Les crevards défoncèrent les panneaux de bois et s'emparèrent des sacs de pièces d'or avec des gestes de mantes. Ils se payaient de leur souffrance. Le pillage dura toute la nuit jusqu'à ce que les coups de fusil des Cosaques de Platov arrachent les plus avides à leur fièvre. Qu'avaient-ils à faire de ces fourrures, de ces barils d'argent dans une nuit de cauchemar où un brouet de mouton cuit était plus précieux que cent francs or ? Beaucoup d'entre eux, alourdis par le butin, furent rattrapés et tués par les Russes. Les autres refluèrent vers Kaunas, pendant deux jours entiers, lestés de leurs richesses. « Chaque soldat, nous dit Labaume, était chargé d'argent, mais aucun n'avait de fusil ». Seul le maréchal Ney continuait à rassembler les hommes et à protéger les arrières, méthodique, héroïque, gueulant ses ordres. Jusqu'au bout, il demeura plus grand encore que sa légende. Bourgogne l'aperçut faisant le coup de poing le fusil à la main, « tel que l'on dépeint les héros de l'Antiquité ». À ce moment de la Retraite, alors que Murat fuyait, et que les fantassins comptaient leurs sous, Ney était le dernier dépositaire de la grandeur perdue de l'armée.

À Kaunas, comme à Smolensk et à Vilnius, pas de répit pour les débris. Talonnant la troupe où l'on ne distinguait plus un palefrenier d'un maréchal, les loups des divisions cosaques entrèrent dans la ville le 14, bavant aux basques napoléoniennes. Les résidus de l'avant-garde française étaient arrivés quelques jours avant, ils avaient forcé les caves et vidé les tonneaux. Beaucoup étaient morts d'ivresse. La campagne s'achevait ainsi dans une folie crépusculaire. Les défaites produisent toujours ces scènes de démence boschienne. Avant de mourir, foutus pour foutus, les hommes se saoulent, baisent et bouffent à s'en crever le ventre. Étrangement, aucun ne se met en quête d'une bibliothèque pour relire un dernier poème de Virgile.

Le 14 décembre, une vingtaine de milliers de fuyards passèrent le Niémen pour s'établir à quelques lieues de la rive gauche. Ney s'opiniâtra à défendre l'honneur, et, contenant les Russes, guéa le fleuve en dernier, dans la soirée, « marchant après tous les autres », selon Ségur. Son arrière-garde ne comptait plus que six cents hommes défaits. Le rideau tombait sur l'une des plus désastreuses campagnes militaires de l'Histoire.

Ney se jucha sur l'autre rive, feu de poupe d'une armée détruite. Sur les quatre cent cinquante mille soldats de l'invasion, deux cent cinquante mille étaient morts au combat et deux cent mille avaient été faits prisonniers. Les Russes avaient perdu trois cent mille des leurs.

L'invasion de la Russie avait été conçue pour construire la paix continentale. Elle fut le premier pas vers la chute du Premier Empire. Six mois auparavant, l'armée traversait ce même fleuve, frémissante, dans le soleil de juin, accoutumée à la gloire et prête à en découdre jusqu'aux sables du Gobi, « le cœur battant de joie, d'orgueil et de fierté », écrivit le général Louis-François Lejeune. En ce 24 juin, les portes de l'enfer s'étaient parées de leurs plus agréables atours pour aguicher l'armée. Elles s'étaient ensuite refermées derrière elle.

Il y avait la prémonition des clapots de Sainte-Hélène dans les remous du Niémen.

À la bifurcation de la sortie sud de Vilnius, nous prîmes la direction de Marijampolė. Au lieu de suivre le chemin de croix des maudits de 1812 par Kaunas, nous choisissions de mettre les gaz au sud-ouest, pour rejoindre la piste de l'Empereur en fuite. C'est à Kaunas que Caulaincourt décida de gagner Marijampolė et de rentrer par le grand-duché de Varsovie. Selon lui, la route, quoique plus longue, serait plus sûre. La Prusse n'inspirait pas confiance à Napoléon.

« Tesson ? cria Goisque dans une descente.

— Oui ?

— C'est quoi, une dormeuse ?

— Un *sleeping*, je crois.

— C'est-à-dire ?

— Une berline, à roues.

— Comme un panier d'Oural ? dit-il.

— Voilà, mon vieux. Avec des rideaux à glands et des coussins brodés. »

C'est la séance de psychanalyse la plus chic de l'Histoire. Un souverain d'une puissance inégalée s'apprêtait à se confier pendant près de deux semaines par des températures de − 20 °C à son grand écuyer, allongé dans une dormeuse tirée par six chevaux lituaniens, sous la protection d'un mamelouk, de quelques officiers et d'une poignée de piqueurs. En s'éloignant du théâtre du malheur, Napoléon conjurait l'échec de la campagne russe. Il se tendait corps et âme vers Paris, c'est-à-dire l'avenir.

Après leur départ de Smorgoni le 5 décembre, l'Empereur et Caulaincourt glissèrent sans débander sur les routes enneigées du grand-duché de Varsovie, de Prusse, de Saxe et de Westphalie. Ils voyageaient incognito. Ils sautèrent de berlines en landaus et en voitures postales au gré des hasards. Ils finirent par semer la plupart des membres de l'escorte. Ils mirent treize jours et treize nuits pour relier Smorgoni à Paris : un record de vitesse si l'on songe aux deux mille cinq cents kilomètres tirés dans la poudreuse ! C'était encore trop lent ! Tout au long du parcours, Napoléon, homme pressé, houspilla les piqueurs, expédia ses repas, galvanisa les maîtres des relais de poste. Plus vite ! Plus vite ! bouillonnait-il. Il voulait revoir l'impératrice. Il voulait rassurer son gouvernement. Il voulait raffermir sa situation à la tête de l'Empire. Parfois, refusant de descendre de voiture, il avalait une tasse de thé en dictant quelques lettres pendant que les postillons changeaient les chevaux. Depuis son ascension, à l'école militaire, les Hommes n'étaient jamais allés assez vite pour lui. Et cette foutue voiture du retour se traînait par les laies de son Empire ! Lui qui aimait à régenter l'Histoire aurait voulu rétrécir la géographie. Pendant six mois, il avait atermoyé devant

Alexandre, hésité à Vilnius, lanterné à Moscou. Sur la route du retour, il retrouvait sa fulgurance.

Dès la première nuit, le froid les fit souffrir. Les températures ne s'adoucirent qu'à Fulda, en West-phalie. Le grand écuyer avait beau le recouvrir de sa pelisse d'ours, « l'Empereur grelottait ». Dans l'escarpement de Marijampolė, il fallut descendre de voiture et pousser jusqu'en haut de la pente. Napoléon aida-t-il à la manœuvre ? Au relais de Gragow, Caulaincourt acheta un de ces traîneaux couverts, montés sur patins qui « volaient sur la surface ». À Pułtusk, l'Empereur, ému par la modestie d'une soubrette, lui fit cadeau de quelques pièces d'or assorties de cette pensée pré-marxiste : « Dans cette classe, on pouvait, avec peu d'argent, faire beaucoup d'heureux ». À Varsovie, subitement pris d'une coquetterie de souverain, il tint à entrer dans la ville à pied « fort occupé de savoir si on le reconnaîtrait ». À Kutno, un brancard du traîneau cassa et il fallut deux heures de bricolage que Napoléon mit à profit pour goûter aux charmes de la conversation de la femme et de la belle-sœur du sous-préfet – polonaises fort jolies. Avant de pénétrer en Prusse, il vérifia que ses pistolets étaient en ordre de marche. « Dans le cas d'un danger certain, tuez-moi plutôt que me faire prendre », avait-il lancé à ses officiers avant le départ. À Poznań, rejoignant la route de l'armée, Caulaincourt put réceptionner les estafettes de courrier que Napoléon dévorait en reprochant à son grand écuyer de ne jamais décacheter les plis assez vite. À Dresde, le roi de Saxe prêta sa belle berline dont les patins cassèrent entre Lützen et Auerstaedt et il fallut entrer à Vigenov dans « la modeste calèche du courrier » avant de repartir « dans un landau que Monsieur de Saint-Aignan avait fait arranger de manière à ce que l'Empereur pût s'y coucher ». À Leipzig, Napoléon fit un somme sur quelques chaises alignées près d'un poêle avant de s'apercevoir qu'un espion le surveillait. Plus loin, à Eseinach, Caulaincourt flaira une embuscade et obtint des chevaux frais en menaçant de son épée le maître de poste qui renâclait à les fournir. Arrivés sur la rive du Rhin, ils s'aperçurent que le fleuve charriait encore de la glace. Le pont de bateau n'était pas installé et il fallut traverser en barque. À Saint-Jean-les-Deux-Jumeaux, les deux hommes prirent place dans un petit cabriolet ouvert avec lequel ils continuèrent à « train d'enfer ». À Meaux, ils sautèrent dans une chaise de poste « qui fermait bien » et ce fut dans cet appareil qu'ils arrivèrent à minuit moins le quart aux Tuileries, le 18 décembre. Caulaincourt frappa à la porte de la galerie ouverte sur le jardin et le suisse de l'entrée eut le bon sens de ne point vouloir reconnaître l'Empereur et son grand écuyer dans l'apparition de ces deux spectres crottés, barbus, chaussés de bottes fourrées !

Ainsi s'acheva l'une des plus formidables parties de l'histoire des sports de plein air. Caulaincourt se présenta au personnel de service de l'impératrice et les dames crurent s'évanouir à l'apparition de ce revenant et qui annonçait le retour de l'Empereur. Enfin, Napoléon, n'y tenant plus, se précipita chez l'impératrice et récompensa Caulaincourt de quatre années d'ambassade à Saint-Pétersbourg, de quatre mois de guerre, de deux mois de débâcle et de quinze jours de galopade par un magnanime : « Bonsoir Caulaincourt. Vous avez aussi besoin de repos. »

« Aujourd'hui, on ne pourrait plus revenir à cheval en treize jours de Smorgoni, dis-je à Goisque dans la station-service de la route de Marijampolė.

— Pourquoi ? dit-il. Tu veux qu'on essaie ?

— Parce que les forêts sont coupées d'autoroutes, les champs de barbelés, les plaines de canaux.

— On n'est plus à l'heure de l'Europe cavalière, dit Goisque. La bagnole a triomphé.

— Gouraud a réussi, pourtant. »

L'écrivain Jean-Louis Gouraud, en 1990, avait relié Paris à Moscou à cheval. Il avait été accueilli triomphalement sur la place Rouge et avait fait don de ses montures à Raïssa Gorbatcheva. Nous nourrissions une admiration sans nom pour l'auteur de ce raid mené le mors aux dents à travers les pays du bloc de Varsovie. Bien que nous le soupçonnions d'avoir organisé l'aventure pour le seul plaisir de pouvoir claironner qu'il avait « passé le rideau de fer à cheval ».

« Il a mis soixante-dix-sept jours, dit Goisque.

— Oui, mais il n'avait pas de grand écuyer pour lui préparer les étapes. »

Pendant ces heures dans la solitude des champs de poudreuse, Napoléon parla à Caulaincourt. Il parla comme si la parole transcendait le cauchemar, éloignait les fantômes. Il parla comme pour se libérer. Et Caulaincourt se fit le greffier de cette conversation qui s'apparentait d'ailleurs davantage à un monologue. Le grand écuyer nota sans relâche, « à la hâte », précise-t-il. Au relais de poste, près du poêle à l'auberge, pendant que Napoléon dormait ou prenait son souper, sous la pelisse d'ours, les doigts engourdis de froid, il notait. Et la centaine de pages, intitulée par ses soins *En traîneau avec l'Empereur*, constitua l'une des plus inclassables confessions d'un chef d'État. Napoléon manipula-t-il son grand écuyer ? Savait-il que ses propos seraient promptement publiés ? Se livra-t-il à une répétition du mémorial de Sainte-Hélène trois années avant l'heure ? Il percevait en tout cas l'étrange atmosphère de cette confesse puisqu'il souligna à Caulaincourt que « jamais homme n'a eu aussi long tête-à-tête avec son souverain »…

Nous marchions bien vers Marijampolė. L'air glacé du crépuscule semblait ravir les machines. C'étaient les forêts du début de l'Union européenne. Tout paraissait plus ordonné que dans l'ex-Soyouz. La route fendait des tableaux de campagne breughelienne. Un homme coiffé d'une chapka passa à bicyclette. Une carriole attelée à un cheval bai portait des paysans vers des fermes que des toits de bardeaux recouvraient jusqu'au sol. On traversait les hameaux. On devinait que les poêles à bois tiraient au maximum. La pauvre Lituanie, qui avait tant souffert, fumait tranquillement à présent que l'Histoire s'était couchée. Le soleil tomba et la campagne devint une pâtisserie viennoise, rose et grasse.

Qu'avait bouffé Vassili ? Il fonçait vers la nuit. Nous laissâmes Marijampolė à notre poupe et prîmes cap au 180. Quelques heures plus tard, nous étions à la frontière polonaise. Avec leurs projecteurs à sodium qui illuminaient la neige, les auvents de béton frappé de Cło ! et de Postój ! les installations avaient conservé un air de guerre froide. Nous n'eûmes même pas le droit à un regard du douanier.

« Cela devient vexant », dit Vitaly.

Vassili voulait rouler encore. J'eus tout le mal du monde à suivre son rythme dans le brouillard abattu. La route sinuait et tous les camions de l'ancien bloc de l'est semblaient s'être donnés rendez-vous sur ce tronçon de Mazurie. Je redoutais les virages à droite propices à soulever la panière et à faire chavirer le side-car. La neige redoubla et eut raison de la rage de Vassili. Nous cantonnâmes dans une auberge en bois au bord de la route, à Augustów, c'est-à-dire dans la bourgade même où passèrent Caulaincourt et l'Empereur, deux cents années avant jour pour jour.

« Jour pour jour ? demanda Thomas à l'auberge.

— Oui, dis-je. Ils sont arrivés le 10 à Varsovie et ils étaient le 7 à Marijampolė, ils sont donc passés à travers la Mazurie et la Podlachie les 8 et 9 décembre et nous sommes le 8, or il est avéré qu'ils ont fait halte à Augustów. »

Goisque, sensible aux symboles, ne revenait pas de la coïncidence et voulait vérifier la chose dans l'exemplaire taché de cambouis des *Mémoires* de Caulaincourt.

« Fais voir, Tesson, je ne te crois pas.

Je citai Napoléon à Caulaincourt :

— Goisque, quand je vous dis une chose, vous devez la croire. »

Le septième jour.
D'Augustów à Varsovie.

PAR OÙ ÉTAIENT-ILS PASSÉS ? Désormais, telle était notre préoccupation.

« Caulaincourt cite le village de Pułtusk entre Augustów et Varsovie, dis-je.

– C'est parti pour Pułtusk ! » hurla Vassili.

Nos amis étaient incroyablement peu difficiles.

Ce matin, le froid tenait ses positions. La route filait au cordeau. L'horizon reposait, rectiligne. La plaine était offerte aux vents. Bouquets d'ajoncs givrés, bosquets de bouleaux, marais : triptyque de la Mazovie. Ces étendues sans obstacles étaient des champs de bataille parfaits. Ou plutôt des espaces de manœuvres pour la cavalerie. Au XXe siècle, Panzers et T-34 s'en étaient donnés à cœur joie. Le paysage entier en avait gardé une sorte de harassement. Les nids de cigognes vides sur les pylônes rajoutaient au sentiment d'abandon. Pas une silhouette dans les villages : l'humanité se carapatait près des poêles. La Pologne très catholique passait sous nos roues : les plus petits hameaux étaient plantés de cathédrales disproportionnées.

Il y avait presque autant de vierges et de calvaires que de bornes kilométriques.

Comme la contemplation du paysage n'offrait qu'un divertissement relatif, je laissais rouler cette question dans mon casque : Napoléon, tyran ou libérateur ?

Si la Révolution se réduit à une entreprise de lutte pour la liberté, Napoléon est le fossoyeur des principes de 1789. Son antiparlementarisme, son autoritarisme, son impérialisme guerrier l'apparentent à César. Mais, si la Révolution se définit comme un combat pour l'égalité, l'Empereur en fut le plus ardent promoteur. L'égalité civile fut son œuvre technique. L'égalité du mérite, son obsession morale. À quelle autre époque de l'Histoire de France un garçon boucher eut-il autant de chances de devenir général par la grâce de ses talents ? L'idéal d'héroïsme irrigua les débuts de l'Empire. Ces maréchaux, brillant dans l'aube impériale, insultaient plus insolemment les privilèges de l'Ancien Régime que ne le firent les bouchers de la Terreur.

Le spectacle était étrange de ces énarques du XXIe siècle, clapotant dans l'entre-soi et la cooptation et dégoisant sur *Le Mal napoléonien* [7] sans reconnaître que l'Empereur avait su donner une forme civile et administrative aux élans abstraits des Lumières. Un ancien Premier ministre s'illustrait brillamment, chez nous, dans la critique de l'aventure impériale. Il avançait

---

7. Titre du brillant (mais sujet à débat) livre de Lionel Jospin (Paris, Le Seuil, 2014), lequel partage avec l'Empereur le fait d'avoir raté une campagne.

que le bilan de 1815 était épouvantable : l'abdication avait sonné le retour des monarchies réactionnaires, les libertés avaient reculé en France, le pays sortait affaibli d'une aventure militaire qui avait coûté des millions de vies humaines.

Les mots de Caulaincourt, griffonnés sous la pelisse, me revenaient en mémoire : « L'Empereur désirait des routes ouvertes au mérite, le moyen de parvenir sans distinction de caste, sans être parent ou ami d'un homme en place ou d'une favorite ». Et encore : « Tout soldat pouvant devenir général, baron, duc, maréchal ; le fils du paysan, du maître d'école, de l'avoué, du maire, conseiller d'État, ministre, duc, cette noblesse ne choquerait plus personne avec le temps, parce qu'elle récompenserait indistinctement tout le monde ». Pendant que défilaient les alignements des arbres douloureusement plantés sur le bord de la route, je trouvais ironique que l'homme qui professait de telles choses soit désavoué sous notre République par un de ceux-là mêmes qui se proclamait *socialiste*, mais avait perdu la faveur du peuple.

Nous faisions des haltes dans les stations-service pour ranimer nos mains gelées et frotter nos rotules directement exposées au vent. Nous avions fini par les entourer de journaux, de cagoules en laine et de manchons de tissu maintenus avec du scotch. Nous portions deux paires de chaussettes, une paire de bottes de cuir et des surbottes étanches que nous coiffions d'une combinaison intégrale. Résultat de ces stratifications :

nous avions froid et il fallait dix minutes pour réussir à pisser.

Varsovie approchait, le mercure descendait. Goisque, engoncé dans ses fourrures, avait de plus en plus l'air d'une vieille dame.

« Goisque !

— Quoi ?

— Tu as l'air d'une vieille dame.

— Qu'est-ce que tu dis ?

— Et, en plus, elle est sourde ! » pensai-je dans mon casque.

Dans l'après-midi, nous passions la Vistule sur un pont, entrions dans Varsovie et coupâmes le contact sur la place des Insurgés. L'endroit s'était appelé place de l'Empereur jusqu'à la fin de la Seconde Guerre mondiale. Quelques mois avant notre arrivée, en l'année 2011, un buste de Napoléon perché sur un piédestal de trois mètres de haut y avait été inauguré. La Pologne saluait celui qui, en 1807, avait créé le grand-duché de Varsovie et l'avait pourvu d'un Code civil, toujours en vigueur. Nous avions gardé deux cigares Partagas pour l'occasion et les grillâmes, assis dans les panières en constatant que la fumée s'appariait bien aux teintes grises de l'architecture varsovienne.

Sur l'échiquier napoléonien, la Pologne constituait une arme contre Alexandre. Le tsar avait à redouter le soulèvement du grand-duché. Au retour du désastre russe, l'objectif de Napoléon était de convaincre les peuples d'Europe que la Russie était l'ennemi commun et que la guerre devait être menée contre elle « dans l'intérêt bien calculé de la vieille Europe et de la civilisation ». Il fallait commencer par mettre les Polonais dans « une sorte d'ivresse ». Mais le rythme d'enfer du retour ne lui laissa pas le temps « d'électriser les Polonais » lesquels, par surcroît, se gelaient les miches, ruinés par leur contribution à l'effort de guerre. Napoléon ne passa qu'une courte journée dans la capitale, et, à 21 heures, sauta dans le traîneau.

Elle nous attendait dans sa fourrure au pied de la statue. Je l'avais connue à Moscou, quand elle dirigeait le réseau des Alliances françaises en Russie. À présent, Mireille Cheval était en poste en Pologne et mélancolisait dans la plaine, regrettant la Russie. Elle dénotait dans le corps diplomatique. Son naturel et sa générosité ne la prédisposaient pas à la carrière sur les moquettes des chancelleries.

Je ne sais pas si elle garda un bon souvenir du tour de side-car dans les rues de la ville. Le désavantage de la place du « singe » sur une Oural tient à la position basse, à l'exiguïté et à la froidure du caisson. L'impression d'être prisonnier d'un cercueil de glace et de raser la route à hauteur d'essieux dans les émanations de dioxyde n'agrée pas au premier venu. Mireille ne s'en plaignit pas et nous convia au dîner russe qu'elle avait préparé chez elle. Un dîner russe consiste à ralentir les ravages de la vodka en avalant un oignon, de l'aneth et un petit hareng.

« Mireille ! Nonobstant notre affection, vous savez pourquoi on ne pouvait manquer de venir vous voir ?

— Non, dit-elle.

— Votre nom, Mireille. Mireille Cheval !

— C'est magnifique », dit Goisque.

Ils furent les grands martyrs de la Retraite. On les creva sous les charges, on les écorcha vifs, on les bouffa tout crus, à même la carcasse ou bien en quartiers, braisés au bout d'un sabre. Pour les bâfrer, on ne prenait pas l'égard de se détourner des bêtes encore vivantes. A-t-on pensé à ce que peut ressentir un cheval devant le spectacle de la viande d'un congénère, ruisselante sur la broche ? La perspective de se faire bouffer n'est-elle pas l'effroi absolu de l'Évolution ?

Personne n'a célébré les chevaux de 1812 à la juste hauteur de leurs souffrances. Les hommes tombés au champ de guerre, eux, sont glorifiés. Des monuments rappellent leur courage. Des livres racontent leurs hauts faits. Des rues et des enfants portent leurs noms. Mais les bêtes ? À quoi ont-elles le droit ? À rien. Sinon peut-être à la considération des peintres. Les toiles représentant le désastre de 1812 font la part belle aux carnes. Pourquoi cet intérêt des artistes peintres pour le martyr équin ?

Pour des raisons morales ? Peut-être. S'il y a une innocence fauchée par la guerre, c'est bien celle des animaux : ils se seraient passé de la violence des hommes.

Pour des raisons esthétiques ? Sans doute. Il y a une beauté tragique dans le cheval décharné, couché sur un champ de neige, une grâce d'écorché.

Pour des raisons spirituelles ? Sûrement. La mort d'un cheval est un spectacle suprêmement douloureux car elle survient en silence. Le silence des bêtes est la double expression de leur dignité et de notre déshonneur. Nous autres, humains, faisons tant de vacarme… Les peintres, qui sont les maîtres du silence, sentirent peut-être dans les agonies muettes des chevaux un sujet destiné à leur art. Les pinceaux trempés dans la lumière et le recueillement se chargèrent de l'oraison aux chevaux que nul n'avait songé à écrire.

Il y avait ce tableau de Édouard Bernard Swebach, exposé au musée des Beaux-Arts de Besançon. On y voyait un cuirassier assis sur la croupe de son cheval couché. L'homme avait l'air désespéré. Il regardait ses bottes. Il savait qu'il n'irait pas plus loin. Dans son dos, une colonne de malheureux traînant, à l'horizon. Mais c'était le cheval qui frappait. Il reposait sur le verglas. Il était mourant – peut-être déjà mort. Sa tête était couchée délicatement sur la neige. Son corps était une réprobation : « Pourquoi m'avez-vous conduit ici ? Vous autres, Hommes, avez failli, car aucune de vos guerres n'est celle des bêtes. » Les Français possédaient près de cent cinquante mille bêtes en commençant la guerre : cent mille chevaux de trait et quarante-cinq mille montures. Les Russes en disposaient d'à peu près autant. Sur ces trois cent mille bêtes, deux cent mille moururent pendant les six mois de campagne.

« Mireille, vous connaissez Gouraud ? dit Goisque.

— L'écrivain, Jean-Louis Gouraud ?

— Oui, il dit que la guerre franco-russe fut "la plus grande boucherie chevaline de l'Histoire", dit Goisque.

— En 1812, les Russes ont inventé un mot pour dire *pourriture*, dis-je à Mireille.

— Je sais, dit-elle.

— Quoi ? dit Goisque.

— C'est Cheval. On prononce *Chval*.

— *Chval*, répéta Goisque.

— Non, non, c'est très bon, dit Vassili qui n'avait saisi que le mot russe.

Et il trempa son oignon dans le pot de crème.

— Et Napoléon, dit Mireille. Il était bon cavalier ?

— D'un strict point de vue académique, non, dit Goisque. Pas le genre à enchaîner sa volte au pas espagnol dans un manège viennois avec petit doigt levé dans son gant en galuchat. On a une drolatique description d'Odeleben : "Napoléon montait comme un boucher. Dans le galop, le buste ballottait en avant et de côté, au gré du pas de sa monture. On sait que Napoléon, plus d'une fois, vida ses étriers." En revanche, c'était l'increvable. Écoutez le colonel Jean-Baptiste Vachée : "On lui vit couvrir à cheval en cinq heures, au train de 25 km/heure, la route de Valladolid à Burgos. [...] Il était non seulement infatigable, mais très hardi cavalier, il montait en casse-cou".

— Et écoutez ça ! De Caulaincourt, dis-je, en attrapant l'exemplaire des *Mémoires*.

— Ils recommencent avec leurs lectures, on se croirait à l'église, dit Vitaly.

— "L'Empereur montait à cheval, la nuit comme le jour, sans prévenir."

— Vous lui auriez plu, Mireille, dit Goisque, il avait le sens des noms. »

Le huitième jour.
De Varsovie à Pniewy.

NOUS AVIONS CHERCHÉ en vain l'hôtel d'Angleterre à Varsovie car c'était là que l'Empereur était descendu. L'établissement n'existait plus. Nous nous étions rabattus sur un garni du centre-ville et, à présent, nous étions dans le petit matin au milieu de la cour enneigée à régler les bobines électriques attaquées par le sel épandu sur les routes quand un conseiller de presse de l'ambassade, nommé Alain et dépêché par Mireille, se présenta. Nous lui racontâmes notre retraite, il prit des notes, nous mîmes en route et, le temps de chauffer les cylindres, comme notre nouvel ami semblait éminemment sympathique, je demandai :

« Vous n'avez pas toujours été dans la diplomatie, n'est-ce pas ?

— Non, dit-il.

— Et que faisiez-vous avant ? dis-je.

— De la philosophie, dit-il.

— Quel sujet d'étude ?

— Berkeley, dit-il.

— Le campus ? dis-je.

— Le penseur, dit-il.

— Ah ? dis-je.

— Vous connaissez ?

— Non.

— Un Irlandais, dit-il. Du XVIIIe siècle. L'idée de l'immatérialisme, c'est lui. Le monde serait l'ensemble des idées que nous nous en faisons.

— Comme dans Schopenhauer ? avancé-je.

— Mieux ! Il ne s'agit pas uniquement des représentations, mais d'une collection d'idées. Les choses n'auraient d'existence qu'en tant qu'elles sont perçues[8].

— Vous voulez dire que Goisque n'a pas de réalité propre ? dis-je.

— Monsieur Goisque existe parce que vous le percevez. Vous, vos motos, ce bicorne, rien ne prouve que tout cela ne soit autre chose qu'un faisceau d'informations que vos sens interprètent.

— Mais ça me plaît beaucoup, c'est parfaitement shakespearien, dis-je. J'ai toujours su que cette vie était une illusion grotesque.

— D'ailleurs, dit Goisque, nous nous livrons depuis Moscou à un grand jeu, une construction de l'esprit.

— Votre grand jeu est plus intéressant que les manœuvres de beaucoup des gens que je côtoie, qui se croient très sérieux et dont la morosité est la gravité des cuistres. »

---

8. BERKELEY (George), *Les Principes de la connaissance humaine*, 1710, rééd. Paris, Garnier-Flammarion, 1991.

Nous quittâmes Varsovie dans un froid de gueux et je me dis que, si Berkeley s'était gelé les os dans l'hiver polonais sur une foutue Oural, il aurait peut-être révisé ses élucubrations sur l'inexistence des phénomènes. C'est fou ce que la caillante vous guérit des spéculations. La route vivait au solfège des camions : garage, stations-service, routiers, hôtel d'étape meublaient le bas-côté. La neige était le linceul qui convenait à ce pays de bataille. Il devait y avoir du squelette sous ce terreau propice. L'Histoire avait tellement écrasé le pays qu'il était archiplat. Nous laissâmes Kutno derrière nos feux arrière, suivant, à la verste près, le chemin du traîneau. Le froid était ce matin-là un ennemi qui avait appris toutes les techniques d'infiltration commando. Les motos ronflaient, l'aiguille coincée à 80 km/heure. Tout était en ordre, les arbres plantés droits. À la fin de l'après-midi, nous avions récolté trois cents kilomètres et dépassé Poznań. La neige se mit à tomber sans considération pour les motocyclistes. En une heure, la route était une patinoire. Quelques remorques de trente-trois tonnes glissèrent en travers de la nationale, bloquant la circulation vers Pniewy, au nord-ouest de Poznań. Les tricycles relevaient leur avantage : nous étions les seuls à avancer sans difficulté sur la bande d'arrêt d'urgence. Le soir tombé, nous jugeâmes que les flocons tombaient trop serrés et nous atterrîmes dans un motel tenu par une Ukrainienne peroxydée qui semblait partager avec la route un fort taux de fréquentation de camionneurs.

Le soir, la conversation tomba sur notre destination. Nous n'étions maintenant qu'à deux cents kilomètres de Berlin qui est sur la route de Paris comme l'ont toujours cru les Allemands. Paris, où l'Empereur arriva le 18 décembre peu avant minuit. Où les survivants de la tragédie ne parvinrent qu'aux premiers jours de janvier 1813. Paris que ni Vassili ni Vitaly ne connaissaient. Paris, où Goisque nous avait promis une surprise. Paris qui nous aimantait.

Il est de bon ton aujourd'hui de louer les vertus de l'errance. Nombre de voyageurs, adeptes des détours, nous servent leur soupe : « Il faut savoir se perdre pour se retrouver », disent-ils. « Le chemin vaut mieux que la destination », ajoutent les plus confucéens. « Il faut lâcher prise », concluent ceux qui ne pratiquent pas l'escalade. Question voyage, Goisque et moi ne nous sentions pas du genre promeneur. Nous n'étions pas des professionnels de la flânerie ni des chemins de traverse.

Nous nous situions plutôt du côté de la thèse de Tolstoï. Le vieux prophète écrivait dans *La Guerre et la Paix* : « Lorsqu'un homme se trouve en mouvement, il donne toujours un but à ce mouvement. Afin de parcourir mille verstes, il doit pouvoir penser qu'il trouvera quelque chose de bon au bout de ces mille verstes. L'espoir d'une terre promise est nécessaire pour lui donner la force d'avancer. [9] » Lors de mes traversées de l'Himalaya,

---

9. Traduction d'Élisabeth Guertik, Paris, Le livre de Poche.

du Gobi, du Tibet ou de l'Anatolie, je me sentais projeté vers mon but. Je marchais hypnotisé par l'objectif et ne me serais pas du tout vu musarder au gré du vent. En termes de déplacements, je croyais à la balistique.

Cependant, si l'itinéraire total s'avérait démesuré, il ne fallait pas trop penser à la ville de l'arrivée. Un objectif éloigné de cinq mille kilomètres, lorsque l'on va à pied, relève de l'abstraction. Il fallait alors subdiviser le voyage en une série d'étapes intermédiaires, d'objectifs provisoires qui constituaient chacun à leur tour une « terre promise » tolstoïenne. Et je pensais aux soldats débandés de la Grande Armée qui, non seulement, n'avaient pas de but, mais ne pouvaient même pas compter sur une halte où se retaper ! Smolensk et Vilnius, qu'ils appelaient de leurs vœux, se révélèrent leurs tombeaux. Leur marche se mua en une fuite en avant, un trébuchement sans répit. « Celui qui a mille verstes à faire, continue Tolstoï, doit pouvoir se dire, oubliant le but final : "Aujourd'hui, en faisant quarante verstes j'arriverai à un endroit où je pourrai me reposer et dormir" ; et, pendant la première étape, ce lieu de repos masque le but final et concentre sur lui tous les désirs et tous les espoirs ».

Souffrir quand on sait exactement où l'on se trouve et vers quel objectif on cingle, passe encore. On fait le dos rond, on prend sur soi, on enclenche le compte à rebours, on sait que tout aura une fin, on se dit qu'il faut tenir jusqu'au bivouac et qu'on recommencera, le lendemain. On pense par-devers soi : « Encore deux jours de mauvais et je verrai le bout ». Les alpinistes connaissent cet état de mise de l'être entre parenthèses. Mais lutter pour la vie en ne sachant pas si l'épreuve durera quinze jours ou trois mois, ni quand elle prendra fin, ni *si* elle prendra fin, ni si on jouira d'un répit avant qu'elle ne prenne fin doit prodigieusement accroître la souffrance. Ne pas savoir est le plus dur. Dans l'adversité, l'incertitude est un poison. Et la Retraite de Russie fut justement une débandade incertaine. Les hommes et leurs chefs ne commandaient plus rien au destin, ils se trouvaient le jouet de forces non maîtrisables. Ils avaient gagné militairement, ils s'écroulèrent logistiquement. Napoléon avait eu beau claironner que l'intendance suivrait. Elle ne suivit pas.

Le neuvième jour.
De Pniewy à Berlin.

J<small>E CONFESSE AU DIABLE</small> que j'ai menti. Je vous ai menti, Vassili et Vitaly et toi aussi mon vieux Goisque. Après Poznań, Caulaincourt et Napoléon bifurquèrent vers le sud-ouest, sur la route de Dresde. À Głogów, la piste quittait le duché de Varsovie et traversait une étroite bande de territoire en Silésie prussienne avant de gagner la Saxe, peu avant Bautzen. Napoléon, d'ailleurs, redoutait ce court passage en Prusse et imaginait son arrestation : « Les Prussiens me livreraient aux Anglais. [...] Vous figurez-vous, Caulaincourt, la mine que vous feriez dans une cage de fer, sur la place de Londres ? » Et ils se tinrent les côtes pendant toute l'étape.

Or, après Poznań, nous quittâmes l'itinéraire impérial et je proposai un court crochet par le nord-ouest. J'avais l'idée d'un détour par Berlin. Pour de nobles raisons. D'abord Vassili se plaignait d'un problème de générateur : on trouverait plus facilement un spécialiste de ces choses dans la capitale. Ensuite je voulais passer en side-car au pied de la porte de Brandebourg où Napoléon parada après la déculottée des Prussiens à Iéna en 1806. Et puis il y avait Lisa. Je m'étais dit qu'une nuit de chaleur humaine ne pouvait pas me faire de mal sur cette route des ossements. Bref, ce matin-là, je me montrai très vague sur l'itinéraire de l'Empereur et de Caulaincourt, et me gardai de dire aux camarades que le tracé historique ne passait pas par Berlin. Après tout, le détour était modeste : on rattraperait la route officielle vers Leipzig, le lendemain. Je ravalais mes remords.

À Moscou, j'avais écrit à Lisa pour lui demander si elle acceptait d'héberger quatre voyageurs de l'hiver. Ne connaissant pas les effets de l'arrivée de motocyclistes sur un parquet d'appartement, elle avait accepté. Elle travaillait dans une institution culturelle, je la connaissais depuis cinq ans, elle parlait un allemand parfait, elle avait des yeux comme la glace estonienne et, depuis le départ, je ne sais pourquoi, dès que le mercure me mordait les genoux, je pensais à elle. Bref, comme le préconise Tolstoï, j'étais tendu vers la terre promise.

L'étape ne fut pas très belle jusqu'à la frontière allemande. De petites routes à traîneaux sinuaient dans les marais. La forêt était grise. Entre la neige et le ciel anthracite s'élevaient des maisons construites à la va-vite par des plombiers polonais enrichis à l'Ouest. À Frankfurt, nous passâmes l'Oder, largement triste : le fleuve avait trop vu l'engeance humaine se disputer ses rives.

La frontière entre la Pologne et l'Allemagne était matérialisée par le changement du paysage. Les opulents hameaux allemands contrastaient avec les villages polonais jetés sur la plaine à renfort de parpaings. Même la forêt teutonne semblait pousser plus droit que de l'autre côté. Jusqu'à vingt kilomètres de la capitale, les arbres bordaient la route. Nous rentrâmes dans Berlin par une porte de l'est. Lisa nous attendait sur Alexanderplatz. Il neigeait. Elle portait une minijupe de laine, des bottes de cuir, et un manteau ultrastrict. Belle comme une policière soviétique. Nous lui passâmes une touloupe de mouton retourné, l'assîmes dans mon panier et lui fîmes faire le tour de la place de Brandebourg. Les flocons de neige constellaient ses cheveux noirs qui dépassaient du casque. Après avoir vaincu Guillaume et les Prussiens en 1806, Napoléon avait dû croire son rêve d'État global presque achevé. Je suis sûr que, ici, à Berlin, passant sous le quadrige, il pensait être sur la voie du projet continental : la fusion pacifique des puissances en un empire universel.

Certes, il restait l'Angleterre en travers du chemin.

Nous passâmes près du Reichstag et je me souvins de mon voyage de décembre 1989. Le Mur venait de tomber. Les parents avaient dit : « On y va ! » On était montés dans une camionnette avec les sœurs et un couscoussier, on avait roulé toute la nuit et, le lendemain, on était avec les Berlinois qui venaient d'ouvrir la première brèche dans les avant-postes de l'URSS et cassaient des petits cailloux pour conserver un souvenir d'une des plus brillantes réalisations architecturales du socialisme. Depuis, le temps avait passé, l'URSS s'était écroulée et ma mère était morte.

Vitaly et Vassili étaient dans tous leurs états. Ils se montraient du doigt le Reichstag en gueulant. Ils se souvenaient de la photo du partisan qui plantait le drapeau rouge sur le toit, au-dessus de Berlin fumant. La photo avait été retouchée sur ordre du Kremlin parce que le zig qui jouait les héros sur le parapet portait des montres à chaque poignet. On peut être un libérateur et détrousser les macchabées… Aujourd'hui flottait au sommet du bâtiment le drapeau à étoiles mariales de l'Union européenne. Que de chemin et tant de morts pour changer la couleur du linge aux fenêtres des États.

Un embouteillage paralysait le centre de Berlin. Nous mîmes une heure à gagner les installations de Lisa. Les moteurs chauffaient. Les motos souffraient et nous avec elles car l'Oural, comme son pilote, sont faits pour s'abandonner calmes et droits au vide de la plaine slave.

Lisa nous emmena dans un *stub* où les Russes découvrirent les proportions de la gastronomie allemande. Les cuisiniers avaient l'air de croire que tous leurs clients s'apprêtaient à partir en campagne, dans la montagne, pendant trois semaines.

Le soir, Lisa :

« Alors, il y a des fantômes sur la route ?

— Parfois, j'ai l'impression qu'ils montent à bord du side-car. »

Puis j'oubliai tout, le froid de la Pologne, la boue biélorusse, les morts de la plaine dans un lit plus chaud qu'un feu de bivouac.

Le dixième jour.
De Berlin à Naumburg.

C E MATIN, nous n'étions plus que trois. Goisque nous avait quittés. Il devait vaquer à ses prises de vue. Les adieux à Lisa furent longs. Elle était triste cette silhouette qui s'éloignait dans la neige. À 10 heures, nous étions Vitaly, Vassili et moi dans un quartier de Berlin Est, chez Michaël. Vassili avait dégoté l'adresse en un tour de clef (de 12). Michaël possédait ce que nous cherchions : un garage chauffé qui abritait une concession de side-cars et de moto-Enfield. Par surcroît, il connaissait les moteurs Oural et se revendiquait anar. Mais anar allemand. Son palais de la carcasse motorisée était aussi bien organisé qu'un bloc opératoire. Au plafond du garage pendaient des cadres d'Enfield parfaitement alignés. Les outils reposaient par ordre de taille et mes deux Russes étaient éberlués par l'état de ce casernement. Vassili entreprit à nouveau son générateur. Il essayait de diagnostiquer le problème à l'oreille et, n'y parvenant pas, commença à désosser la pièce. Il fallut trois heures pour qu'il s'avoue vaincu.

« Je ne trouve toujours rien, dit-il.

— Remonte donc tout ça, dit Vitaly, et fichons le camp, ça s'arrangera en route.

— Comment ça ? dis-je.

— Les Oural répondent à des lois mystérieuses que l'esprit russe n'a pas encore réussi à percer, dit Vitaly. Parfois, nos motos résolvent elles-mêmes un problème mécanique.

— En russe, dit Vassili, on appelle cela l'*avtoremont*, "l'autoréparation". »

L'allure était furieuse. Le départ de Goisque m'avait ôté un sacré poids et je n'étais pas habitué à piloter un engin aussi léger. Vassili tenait le 100 km/heure sur l'*autobahn* de Leipzig et j'avais l'impression que les trois roues de mon side-car allaient se désolidariser du goudron. Nous rattrapâmes l'itinéraire du traîneau impérial dans la région de Lützen, petite localité au sud-ouest de Leipzig. En 1812, cette bourgade n'était rien sur la carte : quelques fermes dans la forêt. Elle ne perdait rien pour attendre. Elle allait entrer dans la postérité en mai 1813 lorsque Napoléon y battit les Prussiens et les Russes sur le chemin de Leipzig. En 2012, c'était redevenu un village de quatre mille habitants qui comptaient bien passer une soirée paisible.

Napoléon, emmitouflé dans son traîneau, se doutait-il que, moins d'un an après son passage, il parcourrait à nouveau ces étendues en chef de guerre, bataillant pour sauver son rêve contre une coalition décidée à en finir ?

Lorsque les Russes franchirent le Niémen aux basques de la Grande Armée en janvier 1813, ils marchaient d'un élan que rien n'allait pouvoir entraver. Napoléon eut beau lever une armée de cent quatre-vingt mille hommes et repartir au combat dès le printemps 1813, il ne put endiguer l'énergie de l'alliance russo-anglo-prussienne. En un an, cette vague contre nature déferla jusqu'à Paris…

La bataille des nations eut lieu au milieu du mois d'octobre 1813, à Leipzig, dans ces parages que le traîneau venait de traverser. Elle sonna le premier acte de la chute de l'Empire. Les coalisés forcèrent les Français à reculer, puis franchirent le Rhin au début de l'année 1814. Malgré une défense acharnée et des victoires en cascades, l'armée napoléonienne, en sous-nombre, reculait. La « campagne de France » fut sa longue agonie.

Alexandre Ier entra dans Paris en mars 1814 à la tête des troupes alliées. Quelle revanche pour le souverain russe qui avait dû sacrifier sa capitale, et assister au ravage de son empire !

Dans le traîneau, bercé de ses propres illusions et par l'agréable mouvement de la route, Napoléon était à mille verstes d'imaginer sa fin, si proche. La conversation le prouve. À Caulaincourt, il faisait montre d'un optimisme pathologique. Ses confessions sont un exemple de discours autosuggestif. Il était persuadé de réussir à reconstituer ses forces militaires, aussitôt arrivé à Paris. « J'aurai des conscrits et cinq cent mille hommes sous les armes, sur les bords du Rhin, avant trois mois. »

Il croyait toujours en son étoile. Il rêvait tout haut. Son énergie était devenue psychotrope. Il s'aveuglait.

Le désastre russe ? Ce n'était rien, un contretemps, un enchaînement de circonstances : « C'est l'hiver qui nous a tués ». Il avait eu tort de rester « quinze jours de trop à Moscou ». Mais tout cela était bagatelle, l'armée se ressaisirait à Vilnius. Elle trouverait des magasins, des entrepôts, elle se retournerait contre les hordes russes. Les Russes, d'ailleurs, n'oseraient pas franchir le Niémen, ils s'arrêteraient « dès qu'ils verront qu'on leur montre les dents ». Il n'y avait rien à redouter de Tatares conduits par « cette vieille douairière de Koutouzov ». Caulaincourt se taisait, notait et n'en pensait pas moins.

La présence de Napoléon à Paris rallumerait son étoile : « Le mauvais effet de nos désastres sera balancé, en Europe, par mon arrivée à Paris ». Ensuite, il repartirait au combat. Il se voyait déjà à la proue de nouvelles forces navales « que je formerai dans peu d'années ». Il se convainquait en faisant semblant de convaincre son greffier : « Vous serez étonné, dans deux ans, du nombre de mes vaisseaux ». Il croyait pouvoir prendre l'Angleterre dans les rets du blocus, briser la prospérité de la Couronne, imposer aux nations le système continental : « Deux années de persévérance amèneront la chute du gouvernement anglais. [...] L'Europe me bénira. » Il imaginait soulever la Pologne pour tenir en respect la Russie et se voyait déjà, une fois rétablie la paix, sillonner les campagnes de France comme un roi médiéval, goûtant les fromages et taquinant les bergères pendant les comices : « Nous voyagerons tous les ans pendant quatre mois dans l'intérieur. J'irai à petites journées avec mes chevaux. Je verrai l'intérieur des chaumières de cette belle France. » Ainsi rêvassait l'Empereur dont l'armée était en train de vivre ses dernières convulsions. Ainsi se berçait-il, alors que ses soldats mouraient à Vilnius. Le soir, à haute voix, j'avais lu ces pages à Goisque avec un mélange d'effarement et d'admiration. C'étaient les plans d'un homme qui ne savait pas qu'il était déjà mort. La confession d'un fou, en train de tomber de l'immeuble et qui fait sa liste de résolutions pour l'avenir, entre le troisième et le deuxième étage.

Napoléon avait toujours ressenti le besoin de poursuivre une idée. Ne professait-il pas que l'imagination menait le monde ? Il projetait sur l'écran de l'avenir les images de ses constructions mentales. Rien ne devant entraver la mécanique, une défaite n'était pas concevable. Voilà pourquoi l'Empereur donne l'impression de balayer du revers le désastre russe, de le minimiser et de n'y penser plus. Hélas ! Les moyens dont il disposa ne furent jamais suffisants pour mener à bien les perspectives, pour consolider les chantiers initiés en tous sens et dans tous les pays. Il entreprit tout, il n'acheva rien. Il voulut redessiner le monde, il ne vint au bout d'aucune réforme locale.

Et le règne ressembla ainsi à la partie de traîneau : une poursuite folle. La vie de Napoléon était le parcours d'un génie galopant après ses visions, emporté dans le torrent du rêve et laissant derrière lui l'esquisse de projets impossibles.

Nous maintenions les gaz et nos poignets droits, crispés sur la poignée, étaient insensibles. Nous touchâmes Naumburg après avoir ondulé dans les collines. Nous jetâmes notre dévolu sur un hôtel exhalant la délicatesse rurale saxonne. Poutres de bois, moquette épaisse, Gretchen à couettes et chopes en porcelaine.

Dans la nuit, autour de nous, s'étendaient les champs de bataille de 1813. Pas loin, il y avait Erfurt, où Napoléon confirma à Alexandre l'entente de Tilsit en 1808, il y avait Weimar où il rencontra Goethe, Leipzig où tout se joua en 1813, Iéna où la Prusse plia l'échine en 1806. Ma chambre portait le nom de Frédéric-Guillaume III. Vassili dormait dans la chambre Goethe et Vitaly dans la chambre Napoléon. J'eus l'impression de m'endormir ce soir-là au milieu de la toile d'araignée de l'Histoire.

Le onzième jour.
De Naumburg à Bad Kreuznach.

HIER, j'avais tellement serré les dents pendant l'étape nocturne que je crachai un demi-chicot dans le lavabo de faïence de la salle de bains.

« Vitaly, j'ai perdu une dent, dis-je, devant le café du matin.

— Une Oural peut rouler avec seulement quatre-vingts pour cent de ses boulons, dit-il.

— Merci », dis-je.

Nous roulions ce matin vers Eisenach et Fulda par les forêts de Westphalie. Quand les bancs de brouillard se déchiraient, apparaissaient des futaies de conifères qui n'auraient pas déparé dans une scène de *Parsifal*. La route était un fouet d'argent. Sur l'*autobahn* de Fulda, une bagnole de douaniers nous dépassa, nous serra, gyrophares allumés et un bras par la fenêtre nous fit signe de nous ranger sur la bande d'arrêt d'urgence. Une deuxième Mercedes coinça nos arrières au moment où nous nous sortions d'un freinage périlleux.

Notre colonne avait appâté les gabelous. Ils avaient dû flairer le Tchétchène. Sans songer que le dealer du Caucase ne prendrait pas le risque de trimbaler sa marchandise dans des pièces de collection aussi voyantes que des motocyclettes Oural.

Nous avions roulé quatre heures dans le froid, nous étions à tordre et nous nous serions passés de vider nos coffres. Les Allemands avaient l'air de trouver la scène plaisante. Ils avaient dû s'ennuyer ce matin. Ils voulurent tout voir. Nous dûmes dépiauter chaque sac. Ils palpaient nos effets comme des touristes au souk. Ils n'affichaient pas grande estime pour nos engins. Ils avaient l'humour ravageur : « *Have you vodka, haschich, Makarov, Kalachnikov ?* » Ils riaient gras. Nous, frigorifiés, salement boueux, dépaquetions, rempaquetions, louchions sur leurs vestes épaisses, leurs bottes sèches et les intérieurs de leurs berlines. Mais la tentation de se réchauffer sur leur banquette arrière nous quitta vite car il aurait fallu subir leurs plaisanteries.

Nous n'avions rien à déclarer. Pas même un au revoir quand nous remîmes les gaz. C'étaient les derniers kilomètres de calme avant la conurbation de Francfort-sur-le-Main.

Je ne pouvais détacher ma pensée de l'idée que, sur cette route, il y avait eu un moment où nos pneus de caoutchouc s'étaient superposés à l'endroit où les patins du traîneau étaient passés, deux cents ans avant nous, jour pour jour – et à la seconde près ! Ce point de contact quantique, cette conjonction spatiotemporelle avaient dû advenir quelque part avant Poznań où l'Empereur avait relayé le 12 décembre 1812 à l'aube et où nous étions passés dans la nuit du 11 au 12 décembre 2012. Cette idée n'avait aucun intérêt, mais les petits calculs m'aidèrent à rester éveillé jusqu'à Fulda.

J'en étais persuadé : le mouvement encourage la méditation. La preuve : les voyageurs ont toujours davantage d'idées au retour qu'au départ. Ils les ont saisies, chemin faisant. Leurs amis en font d'ailleurs les frais, cela s'appelle les récits de voyage. La loi de la thermodynamique s'appliquerait donc au déplacement. Quand on se « branle » (selon l'expression de Montaigne pour désigner le voyage), l'échauffement du corps produirait de l'énergie spirituelle et contribuerait au jaillissement des idées. Quand le corps se meut, l'esprit vagabonde, la pensée explore des recoins intouchés. C'est une loi que connaissent les professionnels de la cavale : camionneurs, clochards et randonneurs. Souvent, les réflexions issues des tribulations sont les plus valables. « Seules les pensées qui vous viennent en marchant ont de la valeur », martelait Nietzsche au crépuscule. Sur les routes de la civilisation automobile, le métronomique écoulement des lignes blanches dans le champ de vision invite au cogito.

Et le défilement des frondaisons par les carreaux givrés du traîneau inspira-t-il la méditation de l'Empereur ? En tout cas, il encouragea l'introspection. Pendant deux semaines, Napoléon parla à Caulaincourt comme il avait vécu : en tourbillon. Il changea de sujets plus vite que les piqueurs ne remplaçaient les chevaux. Il sautait de la politique aux femmes, de son enfance aux déploiements militaires. Il refaisait l'Histoire du Directoire, visitait les campagnes d'Espagne, d'Italie et d'Illyrie, volait en Égypte, revenait en Europe pour disserter sur les menées de la Prusse et commenter la politique de l'Autriche.

Il s'épancha, inventant un genre : la *confession d'un enfant du siècle sous pelisse d'ours*. Il se complut dans l'autoportrait. À Caulaincourt, il avoua toute la vérité : il portait un fardeau. Le destin l'avait chargé d'une mission : amener l'Europe à la paix. Il s'en acquittait malgré lui : « Je ne suis pas plus ennemi qu'un autre des douceurs de la vie. Je ne suis pas un don Quichotte qui a besoin de quêter des aventures. »

Il ne faisait pas abus de modestie. Il connaissait sa supériorité sur les autres hommes, en particulier les souverains : « Je sens trop ma force. [...] Je vois les choses de plus haut. [...] Je marche d'une allure plus franche. » Même au physique, il se savait champion et « plaisantait que le repos n'était fait que pour les rois fainéants ». Il parlait de sa famille corse, de l'oncle Lucien, de ses succès à l'école militaire du temps où il courait le jupon. Il ponctuait les descriptions de soi de conclusions très humbles : « Ce qui paraissait une difficulté aux autres me semblait facile ». Parfois, il essayait de se peindre en être ordinaire : « Je suis un homme. J'ai aussi, quoi qu'en disent certaines personnes, des entrailles, un cœur, mais c'est un cœur de souverain. Je ne m'apitoie pas sur les larmes d'une duchesse, mais je suis touché des maux des peuples. »

Au hasard des étapes, recevant par estafette une lettre de Marie-Louise, il virait lyrique : « N'est-ce pas que j'ai là une bonne femme ? » Les autres jours, il rêvait à l'impératrice et au roi de Rome, leur fils, et ne « tarissait pas sur le plaisir qu'il aurait à les revoir ». Toutefois, en fin connaisseur des hommes, il se gardait des femmes. Elles étaient des nids d'intrigues, dissolvaient les énergies, rendaient fous les esprits les plus fermes. Plusieurs d'entre elles lui avaient tendu des « embuscades de larmes », elles « brouilleraient des empires » si on les laissait faire.

Des hommes non plus, il n'était point dupe. Il les avait trop fréquentés pour les aimer. La lucidité ne rend personne philanthrope. Ses semblables ne méritaient même pas sa colère. « Je n'ai pas assez d'estime pour eux pour être, comme on le dit, méchant et me venger. » Il passait en revue son gouvernement, évoquait Talleyrand, louait Cambacérès, mais retoquait le duc d'Otrante et les cohortes de harceleurs. À un moment, devant le nombre des victimes, Caulaincourt fut contraint de s'autocensurer : « L'Empereur me cita, à cet égard, des traits et des noms si marquants que je n'ose les écrire. Je ne veux point ternir la gloire de quelques noms qui appartiennent à l'Histoire. »

Comme les gens trop entourés, il avait rejeté son affection sur « les peuples », ces monstres abstraits. « Je les veux heureux et les Français le seront. » Mais il bémolisait aussitôt ses affections : « Je me fais plus méchant que je ne le suis parce que j'ai remarqué que les Français sont toujours prêts à vous manger dans la main ».

Il se félicitait d'avoir bâti un système égalitaire rompant avec les privilèges de l'Ancien Régime : « Ayez du talent, je vous avance, du mérite, je vous protège ». Il ne croyait qu'aux « routes ouvertes au mérite ». Il concluait par cet aphorisme : « C'est l'appréciation du principe d'égalité qui fait la force du gouvernement. […] » Il savait que sa tâche politique n'était pas achevée, mais comptait bien sur les services de la postérité : « On me bénira autant dans dix ans qu'on me hait peut-être aujourd'hui ».

Parfois, les confidences versaient dans la pure auto-apologie. Il s'octroyait des montagnes de lauriers. « La France, écrit Caulaincourt, lui devait des codes qui feraient sa gloire. » Il est difficile de penser que Napoléon ignorait que le grand écuyer se faisait, en sous-main, le greffier de ses monologues et que ces pages serviraient un jour à édifier les générations : « Sous mon gouvernement […] il n'y a pas de pots-de-vin, […] les caisses sont surveillées, […] les impôts vont à leur destination. […] Qui crie en France ? […] La masse de la nation est juste. […] » Et il parachevait le panégyrique d'un tonitruant : « Personne n'est moins que moi occupé de ce qui lui est personnel ».

Et ce long monologue que Caulaincourt entrecoupait de timides acquiescements était entrelardé de séances autopersuasives visant à se masquer le désastre de la campagne : « Wilna bien approvisionnée fera tout rentrer dans l'ordre ».

Paris, pendant ce temps, approchait à grands coups de fouet.

Notre traversée du Rhin fut plus laborieuse et moins romantique que celle de l'Empereur. Lui avait traversé sur une barque retenue par le comte Anatole de Montesquiou-Fezensac. Nous, nous disposions d'un pont, mais nous eûmes toutes les peines à le trouver dans la pelote autoroutière de Frankfurt à côté de laquelle les échangeurs routiers de la Ruhr passaient pour des carrefours vicinaux. En pleine nuit, nous roulâmes encore quatre-vingts kilomètres et, les yeux douloureux de fatigue, à proximité de la petite ville de Bad Kreuznach, nous jugeâmes qu'il était temps de mettre un coup d'arrêt à l'équipée avant qu'un arbre du bord de la route ne s'en chargeât.

Le douzième jour.
De Bad Kreuznach à Reims.

R IEN NE PRÉDISPOSAIT la journée au combat. Nous
avions rejoint des latitudes clémentes et devions
entrer en France aujourd'hui. Les choses s'annonçaient plus aimables que sur la rocade de Smolensk.
Sur la table du petit déjeuner de l'auberge de Bad
Kreuznach, nous avions écarté les strudels pour étaler
la carte. Moi qui aime par-dessus tout la contemplation
des atlas, je me disais que les stratèges exercent un beau
métier. Ils vivent, penchés sur les cartes à piqueter des
épingles et dessiner des flèches, en s'offusquant que le
mouvement des troupes ne suit pas les tracés.

« Par où est passé Napoléon ? demanda Vassili.

J'indiquai du doigt l'axe Mayence-Sarrebruck.

— Après Mayence, ils ont encore accéléré. Ils ne
s'arrêtaient plus que pour graisser les essieux. Ils ont
enquillé vers le sud-ouest jusqu'à Saint-Avold et Verdun.
Ensuite Harville, la Ferté-sous-Jouarre, Château-Thierry
et Meaux.

— Sylvain, dit Vitaly.

— Quoi ? dis-je.

— Une faveur.

— Vas-y, dis-je.

— Une petite entorse à la route du traîneau.

— Pour aller où ? dis-je.

— On voudrait passer un peu plus au nord, par le Luxembourg, la Belgique et les Ardennes. On rattrapera la route historique en dessous de Reims.

— Vous y tenez ?

Il traça du doigt un itinéraire qui contournait la Woëvre par le nord.

— Si on fait cela, on traversera quatre pays en cent kilomètres !

— Et alors ?

— En Russie, on aura un succès fou quand on racontera ça. »

La Russie où l'on pouvait faire dix jours de train avant de couper une frontière...

Nous partîmes donc vers le duché baroque et bancaire. Les forêts étaient mauves, le paysage en soie. L'humidité lissait les collines. Dans une trouée de bois, on apercevait un clocher, veillant tristement sur un village trempé. La campagne n'avait pas changé depuis le passage de l'Empereur, nonobstant la prolifération des fabriques, des usines. Dans la Rhénanie du XXIe siècle, elles étaient partout, disséminées dans les bocages, piquetant les petites villes, mouchetant les hameaux. Chez nous, on les concentrait à la périphérie des bourgs. Cela avait créé ces espaces si représentatifs de la France contemporaine : les « zones industrielles », les « zones d'activité commerciale » : géographie dépressive, desservie par un réseau de rocades, de ronds-points.

À Waldböckelheim, le brouillard pansait de ses bandes de gaze les blessures du relief. À Bad Sobernheim, la vue s'ouvrit sur les houles forestières du Palatinat. À Idar-Oberstein, les habitants avaient enchâssé leur église dans une paroi de schiste. À Nohfelden, c'était l'autoroute. Les panneaux avaient des accents historiques : Koblenz, Cologne, Loreley. Nous contournâmes le grand-duché du Luxembourg par le sud. Les flèches gothiques s'élevaient au loin, du côté de la poignée des gaz, c'est-à-dire vers le nord : elles étaient des banderilles plantées dans la masse des bâtiments.

Les frontières n'étant plus matérialisées dans l'espace Schengen, nous dûmes notre certitude d'avoir gagné la Belgique à la présence de ces lampadaires qui éclairent les autoroutes du royaume. Ils étaient allumés bien qu'il fît grand jour en Wallonie. La pluie s'abattit peu avant la frontière française. Elle nous parut chaude. Nous quittâmes l'autoroute pour franchir les Ardennes. Nous étions en France, il flottait des trombes.

« C'est cela l'hiver chez vous ? » demanda Vassili sous l'auvent d'une station-service où nous nous débattions avec nos capes de pluie.

Le patron de l'endroit sortit de sa cahute et vint renifler nos engins. Nos plaques d'immatriculation portaient l'indicatif de Moscou : 77.

« Ah, la Seine-et-Marne, dit le type. Ça fait un bout pour venir jusqu'ici ! »

Il faisait sombre sous les nefs de pins de l'Ardenne. Je pensais à mes Russes. Couper les frontières d'une république fédérale, d'un duché, d'un royaume et d'une république jacobine en moins de cent kilomètres donnait une idée de la complexité de l'histoire européenne. Le tracé de nos États s'apparentait à l'art de triturer le bonsaï. En Russie, les choses étaient plus simples : les barbares turco-mongols avaient envahi la steppe. Les Russes s'étaient revanchés et ils régnaient à présent de la Biélorussie à la mer du Japon. Depuis Staline, on ne s'amusait plus, là-bas, à torturer les frontières.

À Vitron, nous inclinâmes notre route vers le sud-ouest pour rebouter la piste du traîneau fantôme. Nous la raccorderions au sud de Reims. Restait à traverser l'établi de la Champagne. Nous y essuyâmes une ultime rincée. La tempête se leva comme nous gagnions la Meuse. « Meuse endormeuse », avait écrit Péguy. Tu parles, Charles. Qu'avait fait la Terre au vent pour qu'il la harasse à ce point ? La nuit était tombée au moment où l'Ardenne s'écroulait dans la plaine. Le goudron rectiligne nous aspirait vers Reims.

Cette dernière étape aurait dû être une partie de plaisir, nous aurions dû rouler vers la cathédrale, moelleusement plongés dans les souvenirs du raid, goûtant l'imminence de l'arrivée. Au lieu de quoi ce fut le pire souvenir de notre caracole. La pluie redoubla après la vallée de l'Aisne et eut raison de nos vêtements étanches. Les vestes « extrêmes » ne lisent jamais les notices techniques. Trempés, boxés par les rafales, nous maintenions l'allure. Les arbres du bas-côté chancelaient sous les uppercuts. Mes yeux de myope, mes lunettes embuées, ma visière transformée en hublot épanouissaient les phares des bagnoles en halos flous comme le cul des lucioles dans les soirs d'été. En me croisant, les autos m'aveuglaient. Je m'écartais sur le bas-côté pour les laisser passer redoutant de mordre sur les accotements de cette D946 trop étroite. Reims semblait reculer. Les Russes avaient l'air satisfaits.

« Il fait 6 °C ! hurla Vassili au feu rouge de Vouziers. C'est la belle vie ! C'est la démocratie ! »

Fou ce que conduire à l'aveuglette m'avait usé les nerfs. À Reims, les deux Russes comptaient sur moi. J'étais français, ils devenaient mes hôtes, c'était à moi de dégoter un hôtel, tenu si possible par des tauliers russophiles, amoureux des side-cars. Seulement voilà, les Rémois vaquaient à leurs courses de Noël et ne s'empressaient pas de nous renseigner. Je tournai une heure avant de tomber sur un affable Champenois africain au volant d'une guimbarde. Le seul qui accepta non seulement de nous indiquer un établissement du centre-ville, mais insista même pour nous y conduire à coups de : « Suivez-moi les gars ! »

Notre irruption à la réception ressembla à une didascalie du genre « arrivée des Huns, par un soir de tempête, dans un hospice de vieux ». Nous envahîmes trois chambres puis, capitale du champagne ou pas, nous allâmes fêter notre dernière soirée dans un bar à bière. En ouralistes, nous n'allions pas sacrifier à ce snobisme consistant à s'extasier de l'absurde ballet de petites bulles agressives dans une flûte de picrate.

Vassili leva la première chope.

« À l'Empereur.

— Puis-je vous poser une question ? dis-je. Pourquoi les Russes vénèrent-ils Napoléon ?

— Parce qu'il était un chef, dit Vitaly le Moscovite.

— Parce qu'il nous a soudés, dit Vassili le mécanicien.

— Parce que vous l'avez battu », dis-je.

Nous allâmes sur le parvis de la cathédrale, avant de nous coucher. L'ange de Reims souriait sous les voussures. Je montrai son visage à mes amis. Il nous disait que les hommes s'entre-tueraient *ad vitam* sur les champs de bataille puisque c'était ce qu'ils faisaient le mieux. Mais qu'il y aurait toujours quelques artistes s'échinant à racheter la faillite de l'engeance.

Le dernier jour.
De Reims aux Invalides (Paris).

L E SOLEIL AVAIT RÉUSSI SES PERCÉES. Les rayons s'infiltraient. Des gloires coulaient par les trouées de nuages. La campagne, lavée par les pluies de la veille, était en majesté. L'autoroute était vide et nous filions vers la fin du voyage. Le ciel était d'Île-de-France : une respiration de lumière.

Nous nous apprêtions à rejoindre le tracé de la fuite impériale, aux alentours de Meaux. À la sortie de Reims, dans la station-service de l'autoroute, Vassili râla :

« Les machines carburent mal, dit-il.

— Oui, dis-je, mon Oural renâcle.

— Les moteurs russes sont conçus pour des essences à soixante-douze octanes, dit Vitaly.

— Votre essence capitaliste est trop raffinée », dit Vassili.

Il faisait 7 °C. Essence trop délicate et hiver printanier : décidément, l'Europe était un paradis. Il fallait accélérer car nous avions un rendez-vous à honorer sur la place des Invalides. La veille, de Reims, j'avais envoyé le message suivant à une dizaine de proches :

« Chers amis,

demain, nous arriverons à Paris, de Moscou.

Nous avons répété l'itinéraire de la Grande Armée
lors de sa Retraite de Russie de 1812

sur nos trois side-cars soviétiques.

Nous avons rendu hommage aux héros.

Pour eux, ce fut la bérézina.

Pour nous, l'un des plus émouvants voyages de notre vie.

Demain, nous serons aux Invalides à 17 h 00.

Nous nous inclinerons devant la statue de l'Empereur.

Venez.

Ensuite, on se portera chez moi. »

Je surveillais ma montre. Le chic aurait consisté à
arriver à l'heure précise sur l'esplanade. Mais, à la hauteur de Meaux, il fallut s'arrêter sur une aire de repos.
Le cylindre droit de Vitaly ne répondait plus.

Ainsi, au moment critique de l'arrivée, à l'heure
d'honorer les retrouvailles, une Oural nous lâchait-
elle. Nous couchâmes la moto sur le flanc et Vassili se
plongea dans les entrailles. J'enrageais. L'Histoire, en
vérité, nous adressait un signe.

Selon Caulaincourt, l'essieu de la voiture impériale
« se rompit à cinq cents pas de la poste » à Saint-
Jean-les-Deux-Jumeaux, entre la Ferté-sous-Jouarre
et Meaux. C'est-à-dire à deux jets de pierre de là où
nous nous trouvions !

Depuis deux semaines, je guettais ce genre de points
de rencontre entre notre voyage et les événements

de 1812, cette superposition des péripéties impériales et de nos propres aventures. Les voyages historiques prennent saveur lorsque les choses se répètent à l'identique, aux mêmes endroits, à plusieurs siècles de distance. On a alors l'impression de jeter un pont (de singe, bien sûr) par-dessus le temps.

Vassili, ce génie. En trente minutes, il avait changé le carburateur. Nous n'avions plus qu'une heure avant le rendez-vous.

Paris au loin : d'or et de zinc. Le soleil jetait sa lumière par les nuages. Le ciel se traînait. On entra dans la ville.

Je sentais baisser en moi la tension des semaines passées. C'était comme le dégonflement d'une baudruche. En voyage, l'arrivée me procurait toujours un soulagement doublé de mélancolie : l'aventure était finie, le rêve était mort, il s'était mû en souvenir. Plus tard, il faudrait repartir « vers des noms magnifiques ». Lorsque j'arrivais au sommet d'une paroi, même mélange de joie triste, d'accomplissement. S'y ajoutait l'impression d'un pas vers la mort.

Au moment où passa le panneau d'entrée dans Paris, je me sentis débarrassé du beau souci de ma mission. J'avais convoyé mes fantômes. J'avais porté leur mémoire. Nous étions arrivés, j'allais me défaire du fardeau.

Nous roulions le long des quais de Seine.

Les souffrances endurées en 1812 par près d'un million d'hommes de toutes les nationalités m'avaient obsédé. J'avais clapoté dans le souvenir napoléonien pendant des semaines. La nuit, je les voyais, ces civils éperdus et ces soldats blessés, ces bêtes suppliciées, danser leur sabbat devant mes yeux. J'offrais mes insomnies à leur souvenir. Le jour, mon imagination à leur sacrifice.

Je pensais à ces corps humains dont la masse indistincte constituait un *corps* d'armée. Ces garçons bien vivants, ces chevaux écumants étaient immolés par poignées sur le geste d'un général qui commandait un mouvement à ses troupes. D'un point de vue tactique, les soldats étaient les pièces anonymes d'un dispositif. Ils n'avaient pas de valeur individuelle. Ils n'étaient pas considérés comme des êtres différenciés. Pas plus qu'une goutte d'eau n'est prise en compte lorsqu'on évoque un bras de rivière. Une troupe est une catégorie abstraite dans l'esprit de celui qui l'envoie au feu. Elle ne correspond pas à l'addition de soldats aux noms et aux visages distincts. Elle est une masse sans visage de laquelle sont soustraits quelques milliers d'éléments au soir de la bataille, à l'heure des comptes.

Vue de la colline ou de l'éminence sur laquelle se tenait l'état-major, à quoi ressemblait une bataille ? Les tableaux du XIXe siècle nous en donnaient une idée : à une mêlée, à la fusion de coulées de lave dont on ne distingue pas les particules – c'est-à-dire les hommes. Une bataille napoléonienne avait quelque chose de fluide. Les troupes étaient des langues visqueuses qui rampaient les unes vers les autres, se mêlaient ou se repoussaient à la manière du mascaret.

Napoléon cessa-t-il une fois, dans son existence, de considérer les pertes humaines du seul point de vue de la statistique ? Daigna-t-il une fois abandonner la lorgnette du stratège pour concevoir que les « morts sur le terrain » ne se réduisaient pas à une expression ? Sut-il que, derrière ces mots, se tramaient des événements particuliers, des faits humains ? Se plaça-t-il un jour du côté de la tragédie ? Ses nuits furent-elles troublées par la vision d'un seul de ces cadavres ? Souffrit-il, dans le silence de la nuit, d'avoir ouvert les portes de la guerre et précipité des nations entières dans le gouffre ? Fut-il tourmenté par les fantômes ?

Nous passâmes sous le ministère de la prédation fiscale, à Bercy. Sur l'autre rive, les tours de la bibliothèque François-Mitterrand réfléchissaient des nuages.

Il y avait une dernière question. Quel était aujourd'hui le terrain d'expression de l'héroïsme ? Nous autres, deux cents ans après l'Empire, aurions-nous accepté de charger l'ennemi pour la propagation d'une idée ou l'amour d'un chef ? Une mobilisation générale aurait-elle été possible en cette aube du XXIe siècle ? Je me souvenais de mon grand-père de 1914, qui avait pataugé cinq ans durant dans les tranchées de la Somme et n'en avait conçu aucune amertume. Ses lettres, comme celles des autres Poilus, étaient de résignation. Elles disaient que c'était le destin, qu'il fallait servir la patrie et qu'on n'y pouvait rien.

Étions-nous capables de cela ? De cette retenue, de cette acceptation ?

J'avais l'impression que non. Nous avions perdu nos nerfs. Quelque chose s'était produit depuis l'après-guerre. Le paradigme collectif s'était transformé. Nous ne croyions plus à un destin commun. Les hommes politiques balbutiaient des choses dans leur novlangue à propos du « vivre ensemble », mais personne n'y croyait, personne ne lisait plus Renan et nul ne prenait la peine de proposer l'idée d'un roman collectif.

Qu'est-ce qui s'était passé pour qu'un peuple devînt un agrégat d'individus persuadés de n'avoir rien à partager les uns avec les autres ? Le shopping, peut-être ? Les marchands avaient réussi leur coup. Pour beaucoup d'entre nous, *acheter des choses* était devenu une activité principale, un horizon, une destinée. La paix, la prospérité, la domestication nous avaient donné l'occasion de nous replier sur nous-même. Nous cultivions nos jardins. Cela valait sans doute mieux que d'engraisser les champs de bataille.

J'avais eu, en Afghanistan, une conversation avec deux jeunes capitaines français. Nous avions longuement parlé, assis sur un rocher dans le parfum des armoises. On s'était demandé pour quel motif nous serions prêts à mourir. La patrie ? avais-je avancé. Ils s'étaient écriés qu'ils aimeraient bien. Encore eût-il fallu que ceux qui nous dirigent la glorifiassent. Les petits capitaines avaient ajouté tristement que c'était loin d'être le cas. La cause était décotée. Le mot même était ringard. Or personne ne veut mourir pour une idée honteuse. Qui se jetterait dans un jeu dont on vous explique qu'il n'en vaut pas la chandelle ? C'était précisément là où le génie de Napoléon s'était déployé. L'Empereur avait réussi une entreprise de propagande exceptionnelle. Il avait imposé son rêve par le verbe. Sa vision s'était incarnée. La France, l'Empire et lui-même étaient devenus l'objet d'un désir, d'un fantasme. Il avait réussi à étourdir les hommes, à les enthousiasmer, puis à les associer tous à son projet : du plus modeste des conscrits au mieux né des aristocrates.

Il avait raconté quelque chose aux hommes et les hommes avaient eu envie d'entendre une fable, de la croire réalisable. Les hommes sont prêts à tout pour peu qu'on les exalte et que le conteur ait du talent.

Le petit Corse avait utilisé toutes les techniques de la publicité. Il avait mis en scène son sacre, embrassé un héritage sans procéder à l'inventaire, imaginé une nouvelle esthétique. Il avait distribué de nouveaux titres, réécrit les pedigrees, inventé des récompenses. Sous ses mains de marionnettiste, une nouvelle cour s'était mise en place. Le système reposait sur le mérite : tout le monde pouvait décrocher la timbale et postuler aux charges suprêmes. Vous étiez commis charcutier ? Vous pouviez finir maréchal ! Il n'était plus nécessaire d'être bien né, il suffisait d'être ardent ! Il avait produit des slogans. Ses répliques s'étaient imprimées dans l'inconscient collectif. Sa correspondance et ses bulletins avaient fait office de communiqués pour les affaires immédiates et d'archives pour la postérité. À la bataille, il avait bousculé les vieilles règles. Il avait érigé l'opportunisme en art de la guerre. Ses faits d'armes étaient des coups de théâtre. Il avait affolé les polémologues, se fiant à son étoile, en malmenant les théories. Nimbé de ses victoires, il avait composé une géographie de la gloire. Austerlitz, Wagram, Iéna réchauffaient les cœurs, enflammaient les esprits. Dans l'architecture de la légende, il n'avait rien négligé : avec son Code, il avait même doté l'Empire d'un petit livre rouge !

On ne manquait pas de communicants, nous autres. Mais ils ne nous parlaient pas la même langue. Il ne s'agissait plus de conquérir l'Orient en chargeant à cheval. En guise d'horizon, on nous dessinait des machines à café automatiques et des écrans plats. L'objectif n'était pas la gloire, mais le droit à un pavillon recevant la 5G. D'ailleurs, « héros », c'était le nom que la presse donnait aujourd'hui aux pères et aux mères de famille.

Le dôme d'or resplendissait. Goisque avait bien fait les choses. Il avait téléphoné au gouverneur militaire de Paris et obtenu que nous pénétrions à moto dans la cour d'honneur. Nous fendîmes une file de touristes. Les Japonais ouvraient des yeux ronds. Les gendarmes s'effacèrent contre les grilles. Vitaly était fier. Il n'avait pas l'habitude que la maréchaussée lui tienne la porte.

Notre petite colonne d'ouralistes-radicalistes-napoléonistes, comme l'appelait Vassili, s'aventura sur les pavés. Nous roulâmes en rang, effectuâmes une demi-volte à gauche, rangeâmes les machines et coupâmes les gaz au fond de la cour, sous la statue de Napoléon. Nous nous trouvions à quelques mètres de son tombeau.

Nous avions tendu un fil terrestre de Moscou jusqu'en cette cour.

Quelques amis étaient là. Ils étaient venus nous embrasser. Ils étaient étonnés car nous ne parlions pas. Nous nous contentions de nous tenir là, sous la statue de bronze.

J'avais l'impression de me réveiller d'un songe long de quatre mille kilomètres.

Qui était Napoléon ? Un rêveur éveillé qui avait cru que la vie ne suffisait pas. Qu'était l'Histoire ? Un rêve effacé, d'aucune utilité pour notre présent trop petit.

Le ciel se voila, quelques gouttes tombèrent.

J'eus soudain envie de rentrer chez moi et de prendre une douche pour me laver de toutes ces horreurs.

Table des matières

Nouvelles

S'abandonner à vivre
éd. Gallimard, 2014

L'éternel retour
éd. Gallimard, coll. Folio, n° 5424, 2012

Vérification de la porte opposée
éd. Phébus, 2010

Une vie à coucher dehors
éd. Gallimard, 2009
Coll. Folio, n° 5142, 2010

Essais

Dans les forêts de Sibérie
éd. Gallimard, 2011
Coll. Folio, n° 5586, 2013

Petit traité sur l'immensité du monde
Éditions des Équateurs, 2005
éd. Pocket, 2008

Géographie de l'instant
Éditions des Équateurs, 2012
éd. Pocket, 2014

Récits de voyage

Éloge de l'énergie vagabonde
Éditions des Équateurs, 2006
éd. Pocket, 2009

L'axe du loup. De la Sibérie à l'Inde,
sur les pas des évadés du Goulag
éd. Robert Laffont, 2004
éd. Pocket, 2006

La chevauchée des steppes :
3 000 kilomètres à cheval à travers l'Asie centrale
avec Priscilla Telmon
éd. Robert Laffont, 2001
éd. Pocket, 2013

La Marche dans le ciel :
5 000 km à pied à travers l'Himalaya
avec Alexandre Poussin
éd. Robert Laffont, 1998

On a roulé sur la terre
avec Alexandre Poussin
éd. Robert Laffont, 1996

Albums illustrés

D'ombre et de poussière
photographies de Thomas Goisque
éd. Albin Michel, 2013

Sibérie ma chérie
photographies de Thomas Goisque,
illustrations de Bertrand de Miollis
éd. Gallimard, 2012

Haute Tension. Des chasseurs alpins en Afghanistan
photos de Thomas Goisque,
illustrations de Bertrand de Miollis
éd. Gallimard, 2009

Lac Baïkal : visions de coureurs de taïga
photographies de Thomas Goisque
éd. Transboréal, 2008

L'Or noir des steppes :
voyage aux sources de l'énergie
photographies de Thomas Goisque
éd. Arthaud, 2007
éd. Flammarion, coll. J'ai Lu, 2012

Sous l'étoile de la liberté.
Six mille kilomètres à travers l'Eurasie sauvage
photographies de Thomas Goisque
éd. Arthaud, 2005
éd. Flammarion, coll. J'ai Lu, 2011

Aphorismes et lexiques

Anagrammes à la folie
Avec Jacques Perry-Salkow
Éditions des Équateurs, 2013

Aphorismes dans les herbes et autres propos de la nuit
Éditions des Équateurs, 2011
éd. Pocket, 2014

Ciel mon Moujik !
Manuel de survie franco-russe
éd. Chiflet et Cie, 2011
éd. Le Seuil, coll. Points, 2014

Aphorismes sous la lune et autres pensées sauvages
Éditions des Équateurs, 2008
éd. Pocket, 2013

COLLECTION
DÉMARCHES

DANS LA MÊME COLLECTION :

Immortelle randonnée
Compostelle malgré moi
Jean-Christophe Rufin, 2013

Sous les ailes de l'hippocampe
François Suchel, 2014

Aux côtés des épopées des grands alpinistes, la collection *Démarches* installe d'autres aventures. Qu'ils grimpent, qu'ils courent, qu'ils marchent ou qu'ils pédalent, les hommes saisissent le monde comme ils l'entendent. Dès lors qu'ils nouent solidement leurs lacets et ferment la porte derrière eux, tout peut arriver. Même la littérature.